D0865406

Neues aus der Vogelwelt

Erik Orsenna ist Wirtschaftswissenschaftler und hat in dieser Funktion in verschiedenen Ministerien mitgewirkt. Von 1983 bis 1986 war er kultureller Berater des französischen Staatspräsidenten, zurzeit ist er als Regierungsberater tätig. Parallel dazu verfasste er eine Reihe von Romanen, darunter „La Vie comme à Lausanne" (Prix Roger-Nimier 1978), „L'Exposition coloniale" (Prix Goncourt 1988), und zwei erfolgreiche Erzählungen, „La grammaire est une chanson douce" (2001), gefolgt von „Les Chevaliers du subjonctif" (2004). Ferner arbeitete er an Drehbüchern für Kinofilme mit, darunter „Indochine" von Régis Wargnier (1992). Seit 1998 ist Erik Orsenna Mitglied der Académie française in der Nachfolge von Jacques-Yves Cousteau. Er leitet das Internationale Meeres-Zentrum in Rochefort-sur-Mer, Frankreich.

Erik Orsenna

Neues aus der Vogelwelt

Aus dem Französischen
von Eva Moldenhauer

Airbus/Stock

Illustrationen: Santiago Morilla / www.zegma.com

I

An jenem frühen Morgen wäre der Pfarrer von L. (einem kleinen Städtchen im Herzen Spaniens), als er nach seiner ersten Messe die Kirche verließ, vor Verblüffung und Zorn fast gestorben.

Wer, verflucht nochmal, hatte es gewagt, die frisch geweißte Mauer seiner Kirche zu beschmieren?

Hilfesuchend hob er die Arme zum Himmel. Vergebens: Niemand antwortete ihm. Also lief er los und suchte Trost und Rat bei seinem Freund Alberto, einem Taxichauffeur im Ruhestand: Bei einem solchen Beruf begegnet man allen möglichen Menschen, darunter auch vielen Spinnern. Bestimmt wüsste er, was zu tun ist und in welche Richtung man ermitteln sollte.

Alberto war nicht schwer zu finden: er verbrachte seine Tage im Café „Elfmeter", dem Treffpunkt der Sportsfreunde. Das heißt jener Kategorie von Sportsfreunden, deren Sportlichkeit sich darin erschöpft, über Sport zu reden. Diese Leute sind Zungensportler: Endlos erörtern sie das Spiel von gestern, und endlos malen sie sich das Spiel von morgen aus. Auch das Palaver ist ein Hochleistungssport! Vermutlich das Ergebnis eines unerbittlichen Trainings von Kindesbeinen an.

Zufällig sprach gerade Manolo, der Portier des Stadions, mit Alberto. Wobei „sprechen" ein recht schwacher Ausdruck für das Gebrüll ist, das unter seinem riesigen Schnurrbart hervordrang.

„Stell dir das vor! Ja, wie soll ich's dir sagen: mitten auf dem Rasen. An der Stelle des Mittelkreises die Zeichnung einer Treppe!"

Fast wäre der Pfarrer ein zweites Mal gestorben.

„Genau wie bei mir! Es ist eine Verschwörung!"

„Setz dich, o heiliger Mann. Du bist ja ganz blass! Erzähl uns, was los ist."

„Die Treppe eines Leuchtturms, ja, eines Leuchtturms! Eine endlose Wendeltreppe. Auf meine Kir-

mehr die Geduld verlor, wenn er sie befragte. Man kannte ihre Antworten auswendig:

„Warum tust du das?“

„Weil ich liebe.“

„Du weißt, dass deinetwegen die Vögel leiden?“

„Liebe schafft Leiden.“

„Was weißt du in deinem Alter denn von der Liebe?“

„Ich habe Mama weinen sehen.“

„Gut. Versprichst du, damit aufzuhören?“

„Nein.“

„Und warum nicht?“

„Weil ich aufrichtig bin. Da ich sowieso weitermachen muss, verspreche ich lieber nichts.“

„Nimm dich in Acht! Beim nächsten Mal wirst du die Nacht in unserm Gefängnis verbringen.“

„Klar.“

Außerdem suchte Morwenna regelmäßig den Arzt auf.

„Hast du immer noch Nackenschmerzen?“

„Ich will andere Schmerzmittel! Die Ihren taugen nichts!“

„Und ich will, dass du aufhörst, dir die Halswirbel zu verrenken.“

„Es ist nicht meine Schuld, wenn die Möwen am Himmel fliegen.“

„Am Ende wirst du gelähmt sein!“

„Dann gucke ich eben immer in die Luft.“

Es war ganz klar: Dieses freche kleine Fräulein liebte einfach die Vögel zu sehr. Und an den Vögeln die beiden Dreiecke, die die magische Gabe besaßen, dass man mit ihnen fliegen konnte: die Flügel.

Und um sich Flügel zu besorgen, war ihr daher jedes Mittel recht.

Mit der Steinschleuder machte sie Jagd auf Raben und Amseln. Von der Auslage der Metzgerei von Mr. und Mrs. Pontrhydfendizaid entwendete sie regelmäßig Fasane und Tauben. Teelöffel um Teelöffel und Messer um Gabel hatte sie allmählich das gesamte Familiensilber gegen Wachteln, Rebhühner und Schnepfen eingetauscht...

Sobald sie ihren Handel abgeschlossen hatte, zog sie sich in die hinterste Ecke des Dachbodens zurück. Und dort arbeitete sie im Licht einer Kerze. Man braucht nur den Bericht der beiden mit der Untersuchung betrauten Polizeibeamten zu lesen.

„Mit Rücksicht auf unsere Vorgesetzten lassen wir den dort herrschenden Gestank unerwähnt, vermutlich die Folge der zahllosen nicht gereinigten Joghurtbecher und Konservendosen, aber auch des Kots verschiedener Tiere, die nicht alle identifiziert werden konnten. Nachdem wir uns langsam und mühsam durch die unentwirrbare Unordnung gekämpft hatten, entdeckten wir 314 Zeichnungen oder Skizzen von Flügeln, eine Sammlung an Knorpeln und Gelenken, acht Hefte von grüner Farbe, auf deren Seiten jeweils eine Feder geklebt war, und sieben weitere Hefte von roter Farbe, die Insektenflügel enthielten. Schließlich noch ein kleines Heft mit geheimnisvollen Vokabeln, zum Beispiel:

,*Schwungfeder*: jede der großen Federn der Flügel. Vgl. Flugfeder.'

‚*Elytren*: Deckflügel, dienen nicht dem Flug, sondern schützen die eigentlichen Flügel (bei den Insekten).'

‚*Schwingkölbchen*: Gleichgewichtsorgan (bei den Fliegen).'

Aus alledem folgern wir und empfehlen dringend, vor allem aus hygienischen Gründen, Miss Morwenna in einer Besserungsanstalt unterzubringen."

Der Briefträger hatte Mrs. Abergwaun den Einschreibebrief ausgehändigt. Und jetzt wartete er, dass sie ihn öffnete. Bevor ein Briefträger, der dieses Namens würdig ist, seinen Rundgang fortsetzt, wartet er immer, bis ein Einschreibebrief geöffnet wird. Denn verdient jemand, der sich nicht für das Leben seiner Kunden interessiert, den schönen Namen Briefträger? Und was verkündet ein Einschreibebrief, wenn nicht ein wichtiges und im Allgemeinen dramatisches Ereignis?

Morwennas Mutter erblasste, als sie den Brief las.

„Schlechte Nachrichten, Mrs. Abergwaun?", fragte der Briefträger. „Möchten Sie ein Glas Wasser? Warten Sie, ich hole Ihnen einen Stuhl."

II

Wann genau war ihm die Idee gekommen?

Mit den Ideen ist es wie mit den Bäumen. Um sie zu verstehen, muss man mit dem Ursprung beginnen: dem Samenkorn. Wer die Erinnerung an das Samenkorn nicht im Kopf behält, der wird nie etwas vom Baum begreifen.

An jenem Abend führte der Vorsitzende den Vorsitz.

Was ist für einen Vorsitzenden normaler?, werdet ihr mich fragen. Doch dieser Vorsitzende war etwas Besonderes: Er trug den Vorsitz in sich selber. Von Kindesbeinen an hatte er den Vorsitz geführt. Mit acht Jahren wurde er Vorsitzender des Schülerrats seiner Grundschule (gegründet, um gegen das von der Kantine aufgetischte miserable Essen zu protestieren). Und es war ihm zur Gewohnheit geworden. Die Vorsitzfunktionen hatten sich rasch vermehrt (er wurde Vorsitzender des Tennisclubs, Vorsitzender einer ersten winzigen Computerfirma, dann Vorsitzender einer zweiten, etwas größeren zwei Jahre später, Vorsitzender der Labradorhundebesitzer, Vorsitzender der Bretonen in Paris, Vorsitzender der Freunde des öffentlichen Krankenhauses usw.).

Und jedermann nannte ihn nur „Vorsitzender". Sogar am Familientisch bekam er ständig „Vorsitzender" zu hören statt „Papa" oder „Liebling". Vorsitzender, möchtest du noch etwas Brot? Vorsitzender, holst du mich von der Schule ab?

Die Versammlung, bei der der Vorsitzende an jenem Abend den Vorsitz führte, betraf eine Preisverleihung im Gymnasium von H.

Mit seiner schönen tiefen Stimme, die, so munkelte man, zwei oder drei Mütter betört hatte, rief der Schulleiter im Festsaal den Namen eines sehr guten Schülers auf. Unter allgemeinem Beifall stand der sehr gute Schüler von seinem Stuhl auf, ging mehr oder weniger rot vor Stolz oder Lampenfieber nach vorn, stieg die vier Stufen hinauf zum Podium, nahm seinen Preis (ein dickes Buch) entgegen, dankte und begab sich an seinen Platz zurück. Während bereits der Name eines weiteren sehr guten Schülers ertönte.

Beim fünften sehr guten Schüler gähnte der Vorsitzende. Oh, nichts Auffälliges, nur eine kleine Verkrampfung des Kiefers. Aber ein Vorsitzender kann nicht in Ruhe leben, er darf weder furzen noch rülpsen. Vierundzwanzig Stunden lang, das heißt rund um die Uhr wird er überwacht.

„Ist etwas nicht in Ordnung, Herr Vorsitzender?"

„Im Gegenteil, herrliche Zeremonie. Welch wunderbare Jugend! Mit ihr kann unser Land getrost in die Zukunft blicken!"

Nie konnte man den Vorsitzenden in Verlegenheit bringen: Stets hatte er solch einen passenden noblen Satz auf Lager. In Wirklichkeit aber hatte er gelogen. Wenn dieses Defilee so weiterginge, würde er hier auf seinem roten Sessel mit den vergoldeten Armlehnen vor Langeweile sterben. Und während die anstrengende Zeremonie ihren Fortgang nahm, kam die Idee, setzte sich im Gehirn des Vorsitzenden fest und begann, weil sie sich dort offenbar wohl fühlte, zu keimen.

Eine einfache Idee, eine skandalöse Idee.

Gut und schön, die sehr guten Schüler müssen belohnt werden: Sie haben mehr und besser gearbeitet als die anderen, und was würde aus der Gesellschaft, wenn man die tüchtigsten Arbeiter nicht belohnte?

Warum aber sind die sehr guten Schüler, diejenigen, die ich heute Abend nacheinander das Podium betreten sehe, derart langweilig?

Erstens, weil sie alle einander ähneln.

Zweitens, weil sie ohne zu protestieren den gesamten Lehrplan akzeptieren. Im Grunde sind diese sehr guten Schüler oft nichts anderes als gelehrte Affen, gehorsame Affen.

Warum nicht andere ganz junge Menschen mit einem Preis bedenken? Junge Menschen, die ebenfalls arbeiten und sich begeistern. Aber auf Gebieten, die sie selbst ausgewählt haben, außerhalb der Schulfächer.

*

* *

Kaum war die Idee geboren, wurde sie auch schon in die Tat umgesetzt.

Es gehörte zu den Stärken des Vorsitzenden, dass er sich nie damit zufrieden gab, die Ideen in seinem Gehirn nur herumflattern zu lassen, wie bunte Schmetterlinge, deren Anmut und Spielereien man bewundert. Augenblicklich verwandelte er sie in einen Entschluss und setzte ihn um. Und wenige Monate später waren die Ideen dann zu Fabriken, Riesenkaufhäusern, revolutionären Autos geworden.

Schon am nächsten Tag schickte er eine Gruppe von Ermittlern durch ganz Europa.

„Suchen Sie nach verborgenen Talenten, nach Besessenen, nach Jugendlichen, die sich nicht auf die offiziellen Prüfungen vorbereiten, sondern stattdessen unermüdlich einen Teil oder einen bestimmten Mechanismus der Welt erforschen. Haben Sie mich verstanden? Ich will alles, nur keine Faulpelze. Ich will fleißige Kinder, jedoch solche, die sich nur die Freiheit gefallen lassen und nur die Aufgaben, die sie sich selber stellen."

„Sehr wohl, Herr Vorsitzender, Sie können sich auf uns verlassen. Aber, wenn Sie die Frage gestatten, was werden Sie mit dieser Gruppe machen?"

„Zuerst verleihen wir jedem von ihnen einen großen Preis für Berufung."

„Ausgezeichnet, ausgezeichnet!" (Auch wenn man Ermittler ist, kann man nicht umhin, den Chef zu beglückwünschen.)

„Und dann... Das Weitere ist ein Geheimnis."

Denn schon keimte eine neue Idee. Mit den Ideen ist es wie mit den Karnickeln: Sie bleiben nicht lange allein. Kaum zur Welt gekommen, paaren sie sich und zeugen weitere Ideen, unzählige Kinder.

*

* *

In großen Unternehmen gibt es eine Abteilung mit dem Namen Personalbeschaffung, die beauftragt ist, interessante Typen zu finden und zu sammeln. Zu dieser Abteilung gehörten auch die Ermittler.

Sie telefonierten, schrieben Briefe, reisten herum. Diskret ließen sie in den Realschulen und Gymnasien Fragebögen kursieren, die sie abends in ihrem Hotelzimmer einen nach dem andern unter die Lupe nahmen, wobei sie weder nach guten Noten noch nach lobenden Einträgen Ausschau hielten, sondern vielmehr nach zornigen Bemerkungen. „Intelligent, aber leider aufsässig. Was für eine Pfuscherei!" „Ach, wenn Guillaume doch aufhörte, Hubschrauber zu zeichnen! Wenn er sich doch nur eine Stunde, nur eine kleine Stunde am Tag für den Unterricht interessierte, dann wäre er Klassenbester!"

Die Ermittler suchten nicht die Schulleiter oder die Rektoren auf, sondern die Mitarbeiter der Schulbibliotheken: Diese oft bescheidenen und in ihren Einrichtungen missachteten Personen sind die einzigen Vertrauten der Kinder, ja sogar wahre Verbündete ihrer Träume. Auch versäumten sie niemals, in jeder Stadt die Bibliothekare aufzusuchen:

„Gibt es unter Ihren Besuchern zufällig einen jungen Menschen, der nur Bücher zu einem ganz bestimmten Thema ausleiht?"

Und in den Bastelläden nachzufragen:

„Gibt es in Ihrer Kundschaft Kinder, die besonders geschickte Hände haben?"

Und so kamen nach sechs Monaten sorgfältiger Erkundungen fünfzig Jugendliche in die Vorauswahl.

Der Vorsitzende begab sich mit fünfzig Aktenordnern in sein Landhaus, Ordnern, die jeweils das irrsinnige Projekt eines Heranwachsenden enthielten. Da ging es um die Erforschung unterseeischer Schätze, die Konstruktion einer Formel-1-Rennstrecke, das Pflanzen eines Waldes zur Aufzucht von Pandabären, die Erfindung der stärksten Lautsprecher der Welt, um dasselbe Konzert gleichzeitig in New York und in Lissabon hören zu können... Drei ganze Tage blieb der Vorsitzende allein, ein Beweis dafür, dass er der Sache die größte Bedeutung beimaß (üblicherweise traf er seine Entscheidungen in Minutenschnelle). Und er kam mit sieben Namen zurück. Sieben junge Menschen erhielten schon am nächsten Tag einen eingeschriebenen Eilbrief.

*
* *

Beim Anblick des amtlichen Charakters des Umschlags und der zahlreichen Stempel reagierten alle Eltern auf die gleiche Weise. Alle eilten sie ins Zimmer ihres fanatischen Kindes und schwenkten schimpfend den Brief:

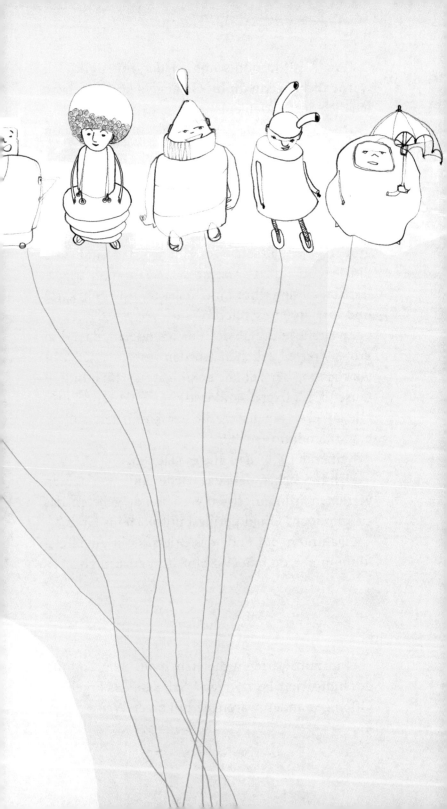

„Was hast du nun schon wieder angestellt? Ich warne dich. Wenn du ins Gefängnis kommst, lasse ich dich dort verfaulen!"

„Mach zuerst den Brief auf, du wirst schon sehen."

Als Erstes beglückwünschte der Vorsitzende Herrn... oder Fräulein... aufs Herzlichste.

„Die europäische Stiftung für Leidenschaft hat das Vergnügen, Ihnen mitzuteilen, dass Sie für ihren großen Jahrespreis ausgewählt worden sind. Das Finale wird am 20. Dezember 2000 im Industriepalast stattfinden. Ihre Eintrittskarte, Ihre Fahrkarte und Ihre Hotelreservierung sind beigefügt."

Zweitens kündigte der Vorsitzende an, dass drei große Preise verliehen würden, um bei der Verwirklichung der Träume behilflich zu sein: hunderttausend, fünfzigtausend und dreißigtausend Euro. Die anderen Finalisten, die leer ausgingen, sollten ein Stipendium erhalten.

Keiner der Eltern wollte es glauben.

„Ich bin sicher, dass das wieder eine von deinen verflixten Erfindungen ist! Wen hast du gebeten, das zu schreiben? Oh, du bringst uns noch ins Grab."

„Da unten, am Ende des Briefs, steht eine Telefonnummer, du brauchst bloß dort anzurufen."

*

* *

Und nun warteten die sieben auf dem Podium des Industriepalasts Seite an Seite auf das Ergebnis. Offen gestanden waren sie in keiner Weise eingeschüchtert. Die Leidenschaft ist ein Panzer. Sie sahen geradeaus über die Menge und die Fernsehkameras hinweg, als wäre allein die Zukunft ein ihrer würdiger Gesprächspartner.

Zu den wenigen kleinen Fehlern des Vorsitzenden gehörte seine Vorliebe für Spannung. Statt seine Entscheidungen sofort bekannt zu geben, ließ er die Leute gerne warten. Er sagte, dass man im Gesicht der Wartenden, der wirklich Wartenden, wie in einem offenen Buch lesen könne. Die Kandidaten gaben ihm Recht. In ihren Blicken zogen, wie von einem heftigen Wind getriebene Wolken, alle nur denkbaren Gefühle vorüber: Hoffnung, Resignation, Verzweiflung, Zorn…

Außer Janvier (dem Treppennarr) und Morwenna (der Freundin der Flügel), die wir schon kennen, warteten noch:

Étienne, ein kleiner Junge, der unbedingt einmal Spediteur werden wollte: „Ich will den Leuten helfen umzuziehen. Ganz bestimmt wird ihnen das gut tun";

Victoria, eine Spezialistin für Mechanik, mit einer besonderen Vorliebe für Räder: „Warum ich Kreise liebe? Weil sie weder Anfang noch Ende haben";

Thomas, ein Experte für alles, was zusammenfügt: Nägel, Schrauben, Nieten, Kleister;

Hillary, die seit ihrem fünften Lebensjahr Dosen in allen erdenklichen Größen herstellte, mit einer Vorliebe für Zylinder;

und schließlich Hans, der Meteorologe, der Wolkenzeichner.

Der Vorsitzende zog einen Umschlag aus einer seiner Innentaschen. Er schickte sich an, den Text zu lesen, lächelte. Eine jede dieser Tätigkeiten dauerte mindestens eine Ewigkeit.

„Der Gewinner des ersten großen Preises der Leidenschaft ist…"

Er hielt inne, holte Luft.

Ein weiteres Jahrhundert verging.

„Der Gewinner ist… Niemand. Oder ihr alle. Alle sieben. Alle zusammen."

Keiner der Zuschauer hatte verstanden. Ebenso wenig wie die sieben, die sich verblüfft ansahen. Aber da der Vorsitzende gesprochen hatte, und der Vorsitzende Recht haben musste, klatschen alle Beifall:

„Oh, was für eine schöne Idee!"

„Wie modern!"

Erst später, in der Nacht und am nächsten Morgen, begannen die Fragen.

„Was wollte er sagen?"

„Was hat er vor?"

III

Einige der Auserwählten hatten sich zunächst auf-gelehnt, als sie erfuhren, dass sie, alle zusammen, zwei Monate auf einer Insel verbringen sollten.

„Für wen hält er sich, dieser Vorsitzende? Er will uns wohl einsperren und an die Kandare nehmen. Ohne mich!"

„Was schlägt er vor? Ein Feriencamp, einen Chor, Lagerfeuer? Puh! Siehst du nicht, was auf meiner Stirn geschrieben steht? Du kannst doch lesen? Da steht ‚ich will allein sein'."

Einige Eltern hatten zuerst entschieden abgelehnt: „Ich liebe meine Tochter zu sehr, um mich auch nur einen Tag von ihr zu trennen." Andere hatten ver-sucht, sich ihr Einverständnis bezahlen zu lassen: „Für zweitausend Euro pro Tag könnte man sich einigen, inklusive Bildrechte."

Dem ersten Anschein nach hatte der Vorsitzende normale, eher kleine graublaue Augen. Aber mit diesen Augen konnte er, wenn es nötig war, Blicke mit hypnotischen Kräften erzeugen. Wen ein solcher

Blick ins Visier nahm, der wurde am ganzen Körper schwach und sagte zu allem ja.

„Nun, Mademoiselle, mein Berufungspreis scheint Sie nicht zu interessieren?"

„O doch, Monsieur, sehr sogar, glauben Sie mir bitte."

„Nun, junger Mann, ich habe gehört, dass Sie für die Ferien andere Pläne hatten?"

„Überhaupt nicht, Herr Vorsitzender, ich fahre, ich fahre sofort mit! Um wie viel Uhr geht der Zug?"

Ergebnis der Verhandlungen: die sieben waren da. An der Kaimauer des kleinen Hafens aufgereiht.

*

* *

„Herzlich willkommen! Und Glückwunsch zu eurem Preis! Ich bin Mrs. McLennan, die Leiterin der Insel. Sag mal, Victoria, du siehst ein wenig blass aus, ich hoffe, du bist nicht seekrank gewesen. Ihr habt Glück! Das Meer ist hier selten so ruhig! Na, Hans, hast du deiner Sammlung neue Wolken hinzugefügt?"

Die winzige Leiterin kannte bereits sämtliche Vornamen. Aber das Merkwürdigste, auch das Beunruhigendste, waren ihre Kleider, vielmehr ihre Kleiderschichten. Oben trug sie eine Spitzenbluse über einer Regenhaut. Unten einen orangeroten Rock über einer grünen Hose. Und ihr Haar war rot, richtig rot. Perücke, gefärbt, Natur?

Als die sieben Stipendiaten später, als alles vorüber war, von den Journalisten gebeten wurden, diese außergewöhnliche Leiterin zu beschreiben, waren sich alle einig:

„Ein Klon der isländischen Sängerin Björk.“

„Genauso komisch.“

„Genauso erfindungsreich.“

„Mit genauso spitzen Zähnen, richtigen kleinen Dolchen.“

Kurzum, diese Leiterin war für die Stipendiaten eine absolute Überraschung. Der Vorsitzende hatte sie gewarnt: „Das Leben auf der Insel wird nicht immer leicht sein, ihr werdet unter strenger Aufsicht leben.“ Daher hatten sie eher einen Kommandanten im Kolonialstil der Marine mit kurzem Haar, Kaki-Hemd und Ray Ban-Brille erwartet.

*

* *

Nachdem Javier seinen letzten Bissen Kuchen heruntergeschluckt hatte (ein Stück Schokolade war ihm zwischen den Zähnen stecken geblieben), hob er die Hand:

„Gut! Und was tun wir jetzt, Madame?“

„Was immer ihr wollt, meine Freunde.“

„Wie? Es gibt kein Programm?“

„*You mean to say there's no schedule?*“

„*¿Que no hay nada programado?*“

„*Comment? Il n'y a pas de programme?*“

Die Leiterin ließ sich Zeit mit der Antwort. Zuerst sah sie den sieben einem nach dem andern tief in die Augen. Es würde schwierig sein, ihr etwas zu verbergen.

„Es erwartet euch eine Werkstatt. Dort findet ihr alles, was ihr für eure Pläne braucht. Ansonsten gehört die Insel euch. Eine Glocke wird euch zu den Mahlzeiten rufen. Habt ihr Fragen?"

Victoria hob ihre kleine Hand und fragte mit zitternder Stimme:

„Gibt es hier Unwetter?"

Die Leiterin schüttelte sich vor Lachen, was alle Farben ihrer Kleider aufleuchten ließ. Man hätte meinen können, dass auch die Farben lachten.

„Natürlich gibt es Unwetter! Was wäre eine Insel ohne Unwetter? Aber keine Angst. Wir haben ja unseren Aufpasser, nicht wahr, Hans?"

„Ja, Madame."

„Einen Wolkensammler! Uns kann gar nichts passieren. Beim ersten Anzeichen warnt er uns. Und dann haben wir jede Menge Zeit, uns in unsere Unterstände zu flüchten.

Ich wünsche euch einen schönen Tag! Ach, noch etwas! Das Haus des Dolmetschers liegt an der Straße zum Hafen, oben rechts, kurz vor dem kleinen Turm. Er heißt Sir Alex, er ist ein ehemaliger Fußballtrainer: elf Spieler, zehn Nationalitäten. Ihr könnt euch also denken, dass keine Übersetzung ihm Angst macht. Er steht euch zur Verfügung."

Den sieben fiel das Wunder erst jetzt auf: Mrs. McLennan sprach und alle verstanden sie, obwohl sie aus ganz Europa kamen.

In Wirklichkeit verwob die Leiterin die Sprachen

miteinander. Sie wiederholte jeden Satz viermal.
„Was immer ihr wollt, meine Freunde." *„Why, you do whatever you want, my dears."* *„Pues lo que queráis, amigos."* *„Mais ce que vous voulez, mes amis."* Ihre Stimme war so klar, so überirdisch, dass jeder ihr entnahm, was ihn selbst betraf, und das Übrige überhörte.

IV

Eine Insel.

Nicht sehr weit von einem bestimmten Ufer Europas entfernt.

Und dennoch unsichtbar.

Unnötig, auf den Landkarten zu suchen. Alles, was sie betrifft, gilt als „vertraulich – geheim": die Anlagen, die dort errichtet wurden, die geheimnisvollen Seminare, die man dort abhält, sogar ihre Lage am Rand des Ozeans.

Befindet man sich auf dieser Insel, tut man gut daran, das Meer zu lieben: Man sieht nämlich nichts anderes. Wohin das Auge fällt, überall trifft es auf die gleiche, je nach Jahreszeit und den vorüberziehenden Wolken, graue, grüne oder blaue Fläche. Tagsüber ist nicht die geringste Küste zu erkennen. Man muss warten, bis die Sonne untergeht. Dann kann es selten, sehr selten vorkommen, dass am Ende des Horizonts, gegen Osten, einige schimmernde Lichter auftauchen. Ein von blinkenden Flecken gesprenkeltes Leuchten.

Alle, die auf der Insel waren, werden sagen: Diese Lichter wirken beruhigend, so schwach und fern sie auch sein mögen. Sie sind der Beweis dafür, dass es den Kontinent und das dazu gehörende normale Leben noch gibt. Die Inselbewohner klammern sich an diese Lichter wie an Bojen.

Auch die Leiterin liebte die schimmernden Lichter. Als die funkelnden kleinen Punkte zum ersten Mal von ferne in der Dunkelheit auftauchten, versammelte sie die Gruppe.

„Also, Kinder, welchen Schluss zieht ihr aus alledem?"

Die „Kinder", wütend, so genannt zu werden (einige waren schon über zwölf), zuckten die Achseln, schauten woanders hin und schwiegen.

„Ich will es euch sagen."

„Das hoffe ich doch sehr, schließlich ist das dein Job!"

Die Leiterin tat so, als hätte sie nichts gehört. Sie senkte die Stimme und setzte eine andächtige, fast erleuchtete Miene auf.

„Die meisten Dinge sieht man in der Nacht. Das beweisen uns diese Lichter.

V

Zwei Wochen vergingen.

Immer wenn das Telefon ein wenig gebieterischer klingelte als sonst, wusste die Leiterin ganz genau, dass der Anruf vom Vorsitzenden kam.

„Und?"

„Alles bestens. Aber unsere sieben Stipendiaten ignorieren einander noch immer."

„Also gar nicht bestens. Was meinen Sie mit ‚einander ignorieren'? Erläutern Sie das bitte, Mrs. McLennan."

„Sie sprechen kein einziges Wort miteinander."

„Ist das nicht normal? Sie sprechen ja nicht dieselbe Sprache."

„Sir Alex, unser Dolmetscher, steht ihnen zur Verfügung. Das wissen sie genau. Sie haben ihn noch keines Blickes gewürdigt. Seltsame Wesen haben Sie mir da anvertraut!"

„Ich hatte Sie gewarnt: von ihrer Leidenschaft Besessene!"

„In ihrer Leidenschaft Gefangene! Nehmen Sie Javier: Er verbringt seine Tage an den Stränden und sammelt Treibholz auf. Und nachts in seinem Bett, beim Licht seiner Taschenlampe... Ach, da ich gerade daran denke, Herr Vorsitzender, darf ich Taschenlampen im Schlafsaal dulden? Sie werden erst spät ausgemacht...“

„Sobald ihre Batterien leer sind, werden sie schlafen.“

„Thomas dagegen angelt von morgens bis abends. Er hat mir erklärt, aus den Fischen könne man hervorragenden Kleister herstellen.“

„Wie Sie sehen, lernen sie etwas!“

„Ich behaupte ja nicht das Gegenteil. Was das betrifft, so sind sie richtige Gelehrte! Noch nie habe ich Jugendliche, ja nicht einmal Erwachsene so viel arbeiten sehen. Zum Beispiel Hans, so klein, so schüchtern, mit seiner Stupsnase und seinen Sommersprossen... Er malt. Den ganzen Tag. Alle Wolken, die er am Himmel dahinziehen sieht, und mit Wolken sind wir ja weiß Gott gesegnet. Er malt sie alle, auf winzige Zettel. Und abends klassifiziert er sie. Endlos. Und Victoria musste ich bitten, sich zu mäßigen: Sie schraubte alle Räder ab, die sich auf der Insel befanden, um sie zu untersuchen.“

„Kein Streit untereinander?“

„Nein. Sie sind viel zu sehr mit ihren eigenen Arbeiten beschäftigt. Ach ja, ich vergaß Étienne: am ersten Abend hat er von den anderen Prügel bezogen. Das war ihm eine Lehre.“

„Warum Étienne? Ist er der Sündenbock?“

„Überhaupt nicht. Aber wie Sie wissen, hat unser Étienne eine Leidenschaft für Umzüge. Er hat angefangen, die Sachen seiner Kameraden abzutransportieren. Die Reaktionen können Sie sich vorstellen.“

„Durchaus."

Eine weibliche Stimme ließ sich im Apparat vernehmen. Vermutlich die Sekretärin des Vorsitzenden, die den Vorsitzenden daran erinnerte, dass ein Vorsitzender anderes zu tun habe, als sich derart lange um sieben auf einer Insel versammelte Irre Sorgen zu machen.

„Einen Moment noch, Fräulein, sagen Sie, ich komme gleich. Also, Mrs. McLennan, was meinen Sie? Werden sich unsere jungen Freunde irgendwann für einander interessieren?"

„Nichts zu machen, Herr Vorsitzender. Jeder von ihnen lebt in seiner eigenen Welt."

„Schreiten wir also zur Tat! Sie haben freie Hand. Ich kenne Ihre Phantasie."

„Danke, Herr Vorsitzender."

„Auf Wiederhören, Mrs. McLennan, und grüßen Sie Sir Alex von mir."

„Ich werde es ausrichten."

„Und halten Sie mich auf dem Laufenden. Melden Sie sich schon morgen Früh wieder. Auf Wiederhören, Mrs. McLennan."

„Auf Wiederhören, Herr Vorsitzender."

VI

Étienne wälzte sich in seinem Bett. Am Ende des Schlafsaals spulte die erleuchtete Wanduhr gemächlich ihre roten Ziffern ab: 04:01, 04:02… Die Nacht schritt weiter fort. Wahrscheinlich müde von ihrem Gekicher waren die Möwen draußen endlich verstummt. Auch das Rauschen des Meeres war kaum mehr zu hören. Vielleicht schläft es ja ebenfalls, wenn man es nicht mehr anschaut?

Étienne legte den rechten Zeigefinger auf die Innenseite seines linken Handgelenks. Der Spediteurslehrling sorgte sich um seine Gesundheit. Er fühlte sich ständig den Puls. Das Zifferblatt seiner Uhr phosphoreszierte. Nichts einfacher als folgende Rechnung: Wenn das Herz in fünfzehn Sekunden siebzehnmal schlägt, dann schlägt es in einer Minute achtundsechzigmal. Völlig normal. Uff! Er hatte der Maschine seines Herzens nichts vorzuwerfen. Woher also dieses Geräusch? Ein ersticktes Knirschen. Und woher dieser Eindruck des Rutschens, dieses Schwindelgefühl? Entweder bin ich krank, sagte er sich, oder auf dieser verfluchten Insel ist etwas im Gange. Er wandte sich an seinen Bettnachbarn:

„Javier, Javier…"

Aber einen schlafenden Javier hat noch nie jemand wecken können. Es war als würde der Schlaf ihn auf allen möglichen Treppen in unerreichbare Länder entführen.

Doch als er kräftig geschüttelt wurde, öffnete er schließlich doch ein Auge.

„Mama! ¿Qué pasa?"

Étienne fluchte: Er hatte das teuflische Hindernis der Sprache vergessen. Sollte er Sir Alex holen, den Dolmetscher? Keine Zeit. Besser, man machte sich durch Gesten verständlich. Ein Zeigefinger, der aufs Ohr klopft: Hörst du? Javier nickte. Dann eine ausgestreckte Hand, zuerst in der Waagerechten, dann kippt man sie nach unten. Javier richtete sich in seinem Bett auf, spreizte die Arme ab, als wollte er auf einem Drahtseil gehen, und nickte abermals.

„Tienes razón ¡Se está inclinando!"

„Wir müssen Gewissheit haben."

Beide sprangen auf und eilten in den Garten. Auf der Insel war nie eine Tür verschlossen. Logisch: das Meer war der große Riegel. In der Werkstatt gab es Geräte und Instrumente, mit denen man alles Mögliche messen und außerdem überprüfen konnte, ob man verrückt wurde.

Kurz danach waren sie wieder zurück im Schlafsaal und stellten jenes Wasserwaage genannte, mit einer Flüssigkeit gefüllte und mit Metall eingefasste Glasrohr auf den Fußboden. In dieser Flüssigkeit schwimmt eine Luftblase. Wenn die Blase in der Mitte des Rohrs verharrt, ist der Boden waagrecht.

Die beiden Jungen hatten ihre Taschenlampen

herausgeholt, aber keiner wagte es, hinzusehen. Javier knipste sie schließlich an. Als sie sich hinabbeugten, stießen sie mit den Schädeln aneinander und konnten einen Schrei nicht unterdrücken.

„Sieh nur!"

„*¡Qué barbaridad!*"

Anstatt sich an ihrem normalen Platz zu befinden, und zwar zwischen den beiden Strichen, die die Mitte anzeigen, bewegte sich die Luftblase langsam aber sicher nach links. Eine Tatsache, die zu zehn Prozent beruhigend war, weil erkennbar wurde „Verrückt sind wir nicht!", die aber zu neunzig Prozent Furcht erregend war, weil klar wurde „Die Insel ist eine Falle: in diesem Schlafsaal geht etwas Unnormales vor."

Javier und Étienne drehten sich um. Da stand Morwenna, sah sie mit finsterer Miene an und ballte die Fäuste. Eine echte Waliserin mit heißem Blut, sogar um 4 Uhr 26 morgens.

„*Do you find it funny to prevent other people from sleeping? ¿Os parece divertido eso de ir por ahí despertando a la gente?*"

Eine von Morwennas Vorzügen war ihre sprachliche Behändigkeit. Wer Gälisch spricht, die Sprache mit den tausend Konsonanten, kann jede Sprache sprechen. Mühelos sprang sie vom Französischen ins Englische und vom Deutschen ins Spanische, ohne sich dessen bewusst zu sein. Vielleicht hatte die Liebe zu den Flügeln ihr diese Leichtigkeit verliehen? Sie wechselte viel leichter als wir von einer Welt in die andere.

Auch sie beugte sich über die wandernde Luft-

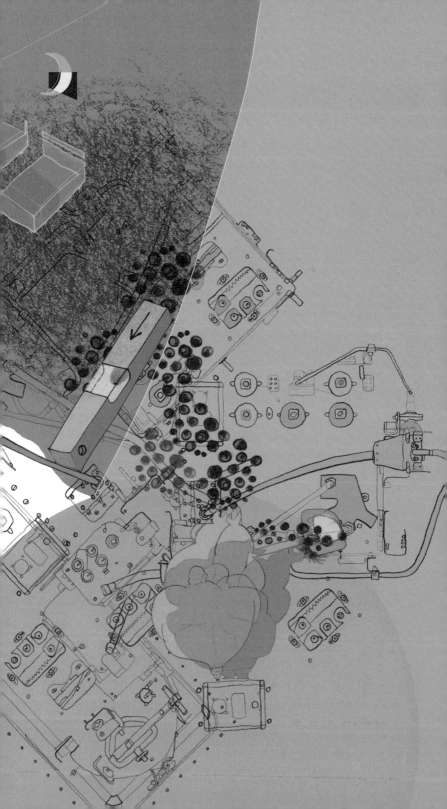

blase. Die sich um einen weiteren guten Millimeter verschoben hatte.

„Mein Gott! Was hat das zu bedeuten?"

„*¿Un terremoto?*"

„Das wäre viel unregelmäßiger."

„Dann rutschen wir ins Meer."

„*We've got to wake the others up.*"

„Unnötig."

Schlaftrunken näherte sich der Rest der Schar.

Mit wenigen Worten erklärte Morwenna ihnen die Situation.

Das Brummen ging weiter. Es klang wie der dumpfe Atem eines großen Tiers. Aber wo verbarg es sich? Keine Angst ist so schlimm wie die vor einem Geräusch; es verbirgt sich, legt viele falsche Fährten, sorgt überall für Echos, die einen in die Irre führen. Mit Zähnen und Krallen wehrt es sich. Man kann es verstehen. Das Geräusch weiß, dass man es, sobald es entdeckt ist, höchstwahrscheinlich angreifen und beseitigen wird.

„Gut. Schluss mit der Spielerei! Wir werden uns doch nicht wie Kinder an der Nase herumführen lassen!"

Morwenna hatte es zu einer persönlichen Angelegenheit gemacht. Ihre Augen sprühten vor Zorn. Die Suche hatte sich in ein Duell verwandelt: auf der einen Seite ein Geräusch – auf der anderen Wales.

„Seid still!"

Sie schloss die Augen, runzelte die Stirn, kauerte sich nieder. Plötzlich legte sie sich hin und hielt das Ohr an den Fußboden. Und schon stand sie wieder.

„Ich wusste es doch. Es kommt aus dem Keller."

Die sieben rannten los. Als sie den Eingang gefunden hatten, stolperten sie die Treppe hinunter.

„Seht nur!"

Es war ein Heizkessel, dessen Maul offen stand. Ein Mann mit nacktem, Ruß glänzendem Oberkörper warf schaufelweise Kohlen hinein. Statt Ohren hatte der Heizkessel Räder, mehrere auf jeder Seite, Getriebe, die lange Eisenteile in Bewegung setzten, deren Ende man nicht sah.

Ein grosser älterer Mann stand dem stämmigen Kerl gegenüber und feuerte ihn an.

„Schneller, mein Lieber, schneller! Das Tier at Hunger! Man muss es füttern!"

Da er spürte, dass jemand da war, drehte der grosse Mann sich um. Es war Sir Alex. Blazer, Krawatte und helle Hose. Noch immer elegant, trotz der Örtlichkeit und der vorgerückten nächtlichen Stunde. Der Anblick der sieben schien ihn nicht zu überraschen.

„Ach, ihr seid es! Ich wusste es! Verzeiht, dass ich euch geweckt habe. Aber bei dieser alten Maschine ging es nicht anders. Ihr wollt bestimmt eine Erklärung? Das ist völlig normal. Gehen wir zur Leiterin, da ist es gemütlicher."

Mit den Fingerspitzen klopfte er dem stämmigen Kerl auf die Schulter.

„Du siehst ja, dass du aufhören kannst, mein Lieber. Schluss für heute Nacht. Schlaf gut. Ich rufe dich, sobald ich dich brauche."

Er schüttelte seinen Blazer, um den Staub zu entfernen. Und lächelte den sieben zu.

„Ich verabscheue Kohlen, ihr nicht? Gehen wir?"

VII

„Dass ihr aufwacht, war nicht vorgesehen. Aber im Grunde ist mir das lieber. Ich will mit offenen Karten spielen. Ehrlich währt am längsten. Und außerdem sitzen wir im selben Boot, ich meine auf derselben Insel, nicht wahr?"

Dieses Boot, diese Insel hielt ganz entschieden immer mehr Überraschungen bereit. Mrs. McLennan hatte ihnen ohne jede Verwunderung die Tür zu ihrem Büro geöffnet.

„Ihr wollt Erklärungen? Das ist völlig normal."

Es musste etwa fünf Uhr morgens sein, und sie war bereits fertig gekämmt, geschminkt und bekleidet mit einer ihrer geheimnisvollen Stoffschichten: kurzer hellblauer Rock über einer rosa Strumpfhose, weiße Bluse mit Puffärmeln, ockerfarbene Strickjacke, pfirsichfarbener Blazer.

„Sir Alex, es war Ihre Idee. Sie haben das Wort."

„Meine jungen Freunde, wie ihr wisst, war ich lange Fußballtrainer. Mein Club war sehr reich. Also hatten wir die besten Spieler Europas eingekauft. Aber unsere Mannschaft gewann nicht. Was war da zu tun?"

Sir Alex' Stimme war leise, fast unhörbar. Wie mochte er sich in einem tosenden Stadion wohl verständlich machen? Vermutlich durch seine wunderbare Aussprache und seine natürliche Autorität. Beim Sprechen erschien ein seltsames verkrampftes Lächeln, fast eine Grimasse auf seinem Gesicht. Vielleicht hatte er nicht nur gute Erinnerungen an den Fußball?

„Alle diese hervorragenden Spieler konnten einfach nicht zusammenspielen. Und da bin ich auf die Idee gekommen…"

„Die geniale Idee!"

„Wir wollen nicht übertreiben, liebe Freundin. **Die Idee, den Trainingsrasen ein bisschen abschüssig zu machen. Nur um ein paar Grad.** Die Gärtner haben mich für verrückt gehalten. Bis zu dem Tag, an dem wir anfingen zu gewinnen, sämtliche Spiele, eins nach dem andern."

Seit einigen Minuten klopfte Morwenna nervös mit ihrem rechten Schuh auf den Boden. Sie kniff die Augen zusammen und biss sich auf die Lippen. Gleich würde sie explodieren.

„Gut, wir wollen hier keine Ewigkeit verbringen! Keiner von uns ist Fußballer. Was hat das alles mit unserm Schlafsaal zu tun? Verraten Sie's uns endlich."

Sir Alex hob die Hände.

„Immer mit der Ruhe! Gleich kommt's. Von dieser kleinen schiefen Ebene mitgezogen – die für alle dieselbe war –, begannen die Spieler zusammenzuspielen. Ich nahm Wechsel vor. Einmal liefen die

Stürmer den Abhang hinunter und hatten es mit Verteidigern zu tun, die hinaufliefen. Beim nächsten Mal rannten die Stürmer den Abhang hinauf und die Verteidiger hinunter."

„Raffiniert", sagte Javier.

„Hat man Sie deshalb den Zauberer genannt?", fragte Étienne.

„Wir Mädchen begreifen noch immer nicht!"

Sir Alex schloss die Augen. Die Müdigkeit übermannte ihn. Die Leiterin löste ihn ab.

„Ich fasse zusammen. Wie diese Fußballstars seid auch ihr Einzelgänger, Eigenbrötler. **Als wir uns die Nacht zunutze machten, um den Fußboden eures Schlafsaals etwas zu neigen, hofften wir, eure Träume ein wenig ins Rutschen zu bringen, versteht ihr?** Wir hätten uns gewünscht, dass sie mehr oder weniger dieselbe Richtung nehmen. Aber ich sehe, dass es misslungen ist."

„Das können Sie laut sagen!"

„Mehr als misslungen, kriminell!"

„Wir werden Sie vor Gericht bringen!"

„Sie haben versucht, uns zu manipulieren!"

Die Mädchen waren am wütendsten. Drohend rückten sie der Leiterin auf den Leib. Es fehlte nicht viel, und sie hätten sie geschlagen. Die Knaben blieben ruhiger. Sicherlich beeindruckte sie der gute Ruf von Sir Alex, sein Erfolg bei nicht weniger als drei Europapokalen. Morwenna und Hillary wollten die Insel auf der Stelle verlassen.

„Ich will mit meinem Vater sprechen."

„Verbinden Sie mich mit dem Vorsitzenden!"

Hans musste all seine Diplomatie aufbieten, um sie aus dem Büro zu locken.

„Diskutieren wir doch erst unter uns."

„Wozu? Diese Leute sind Ungeheuer!"

„Eben. Finden wir das beste Mittel heraus, sie zu bekämpfen."

Glücklicherweise läutete das Telefon erst, nachdem die sieben gegangen waren. Sonst hätte einer von uns unweigerlich den Hörer abgenommen, und der Vorsitzende wäre tüchtig beschimpft worden.

VIII

„Und?“

„Ich kann Sie kaum hören, Herr Vorsitzender.“

„Ich sitze in einem Schnellzug, zwischen Peking und Shanghai. Ich will meine Nachbarn nicht stören. Was gibt es Neues?“

„Leider haben sie unsere Maschine entdeckt.“

„Na und?“

„Sie können sich ja vorstellen, dass Sir Alex und ich jetzt als Feinde gelten, als Manipulatoren, als der Teufel selbst.“

„Ausgezeichnet.“

„Wie meinen Sie das?“

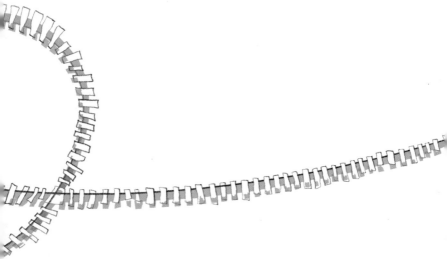

„Zum ersten Mal teilen sie etwas.
Dass es sich dabei um Hass handelt, spielt keine
Rolle."

„Freilich, so gesehen…"

„Von China aus sieht man die Dinge besser. Man
hat einen doppelten Abstand: die Entfernung und
die Größe des Landes. Ich muss auflegen, wir fahren
in den Bahnhof ein. Den Bahnhof einer winzigen
Stadt: soll drei Millionen Einwohner haben. Viel
Glück für das Weitere!"

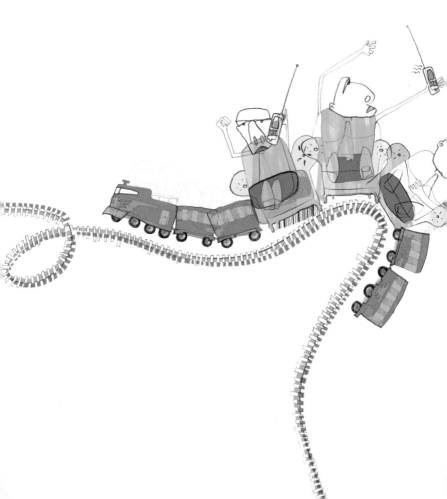

IX

Am Morgen des Dramas stattete Sir Alex, wie euch alle Zeugen bestätigen werden, Hans einen Besuch ab. Der Wolkensammler hatte sich eine Plattform gebaut und einen Tisch und einen Stuhl daraufgestellt. Auf diese Weise konnte er unablässig alle vier Himmelsrichtungen beobachten. Zu seiner Linken lag ein dickes aufgeschlagenes Buch, der Fotokatalog mit allen nur möglichen und denkbaren Wolken, sogar den am weitesten entfernten wie den linsenförmigen von Feuerland. Zu seiner Rechten lag sein Heft und sein Farbkasten: „Eines Tages werde ich eine unbekannte Wolke malen." Die unbekannte Wolke, einer Wolke seinen Namen geben – das war sein Traum, so wie andere mit Inbrunst Schmetterlinge sammeln.

Sir Alex mochte die Begegnungen mit diesem ruhigen, wohl erzogenen jungen Mann. Das war etwas ganz anderes als die Raserei in den Stadien. Könnte ich noch einmal wählen, pflegte er zu sagen, dann würde ich die Meteorologie dem Fußball vorziehen.

„Guten Morgen, Hans."

„Guten Morgen, Sir Alex."

„Ist alles ruhig an der Wetterfront?"

„Wir brauchen uns keine Sorgen zu machen, Sir Alex. Wahrscheinlich einige leichte Niederschläge am späten Nachmittag. Sehen Sie da hinten, diese dunkle Linie. Eine friedliche Herde von *cumuli congesti*. Nichts Ernstes."

*
* *

Ich möchte euch nicht irreführen. Sicher bin ich mir in nichts. Leute, die immer für alles eine Erklärung haben, fürchte ich wie die Pest. Was auch geschieht, sie schauen dich mit herablassender Miene an: „Ich weiß es", „Das hatte ich vorausgesehen", und schütteln eine Ursache aus dem Ärmel.

Warum brach das Unwetter los, warum in dieser Jahreszeit, in der üblicherweise – ich habe in den Statistiken nachgesehen – das Meer ruhig ist?

Ich unterbreite euch lediglich eine Hypothese: die Kleider der Leiterin. Ich habe Wissenschaftler befragt. Es ist keineswegs ausgeschlossen, dass allzu lebhafte Farben die Winde auf sich ziehen. So wie der Blitzableiter den Blitz. Wie das Rot die Stiere.

Wie dem auch sei, plötzlich begannen die Bäume sich zu biegen und zu knirschen, die elektrischen Leitungen fingen an zu sirren, die Mauern zu beben und die Schieferplatten auf den Dächern zu klappern, als hätte eine panische Angst Häuser und Hütten ergriffen.

Und das war ganz bestimmt der Fall.

Denn es gibt nichts Schrecklicheres als ein Unwetter auf einem in Meereshöhe gelegenen Stück Land. Ein

Schiff kann vor den Elementen fliehen, in einem Hafen Zuflucht suchen, sich vor den ärgsten Wellen schützen, indem es ihnen dickflüssiges Öl aufs Haupt gießt. Eine niedrige Insel dagegen hat keine andere Möglichkeit, als es über sich ergehen zu lassen. Den Ansturm des Meeres zu erdulden, diese Mauern schwarzen Wassers, die es unablässig gegen die Ufer schleudert. Den unausweichlichen Druck der Flut zu erdulden, die sich nur allzu gern die Unordnung der Wetterlage zunutze macht, um immer höher zu steigen und über die Ufer zu treten und weit über die üblichen Grenzen hinaus das Land zu überschwemmen. Das höllische Tosen des Windes zu erdulden: Anfangs verwehrt er dir das Gehen, sogar in gebückter Haltung. Bald darauf wirft er dich um, schleift dich mit. Dann muss man sich festklammern, sich anbinden, will man nicht weggefegt und von den Fluten mitgerissen werden.

Tapfer hatten die sieben zuerst versucht, Widerstand zu leisten. Bei den ersten Böen waren sie in ihre Werkstatt gegangen. Als ob sie dort und nirgendwo sonst den Kampf gegen das Unwetter aufnehmen müssten. Doch die Windstöße wurden immer stärker; sie zerbrachen nacheinander alle Fensterscheiben, sie deckten das Dach ab. Die sieben wollten bleiben und versuchen, ihre Notizen, ihre Zeichnungen, ihre Schätze zu retten, die von den Wirbelstürmen Gott weiß wohin geweht wurden. Irgendwann gaben sie den allzu ungleichen Kampf auf und flüchteten ins Haupthaus.

Eng aneinander gekauert, in ihre grauen Decken

gemummelt, die alle gleich aussahen und auch dem Grau der Gesichter glichen – Grau ist die Farbe der Angst –, sodass sich die Mädchen kaum von den Jungen unterschieden – ihre Haare trieften genauso, aus allen Nasen tropfte der gleiche Rotz –, zitterten alle sieben in derselben Kälte.

Aber Hans zitterte noch stärker als die anderen. Zu Beginn des Unwetters hatte es weder an sarkastischen Bemerkungen noch an Beleidigungen gefehlt.

„Na, sind deine *congesti* noch immer brav?"

„Wo hast du eigentlich Meteorologie gelernt?"

„Du hast Grütze im Kopf, aber keine Wolken."

Und so weiter.

Das war normal: Sein Irrtum war unverzeihlich.

Niemand sprach mehr mit ihm. Niemand sah ihn an. Er hielt sich die Ohren zu, um nichts mehr zu hören.

Wer aber kann den Lärm eines Unwetters zum Schweigen bringen?

Bestimmt kein falscher Wolkensammler.

Einer nach dem andern drangen ihm die Windstöße wie Pfeile ins Herz. Und ständig marterte ein und derselbe Refrain sein Gehirn: Wie, ja wie nur konnte ich die Wolken verwechseln und einen *nimbus* für einen *congestus* halten?

Und so warteten sie eine ganze Nacht und einen halben Tag. Ohne sich zu rühren und ohne die geringste Nahrung zu sich zu nehmen. Und so schliefen sie auch alle zusammen ein, besiegt. Sogar Hans, trotz seiner Scham.

x

Victoria, die Freundin der Mechanik und der Räder, erwachte als Erste. Mädchen brauchen meist weniger Schlaf. Vielleicht weil sie tagsüber so viel träumen und dazu die Nacht nicht brauchen. Auf leisen Sohlen verließ sie den Schlafsaal. Und sofort blieb sie stehen und spitzte die Ohren. Das Getöse vom Vortag war einer tiefen Stille gewichen.

Das Leben macht Geräusche. Notgedrungen. Jedes Leben, auch das der Pflanzen: Man hört es, wenn sie wachsen. Man braucht nur aufmerksam zu lauschen.

Und wenn die Geräusche, alle Geräusche, verstummt sind, ist das ein schlechtes Zeichen. Ein sehr schlechtes Zeichen. Ein eisiger, messerscharfer Gedanke durchzuckte Victoria. Und wenn ich tot wäre? Und wenn auch alle anderen tot wären wie ich? Und wenn das Unwetter uns alle im Schlaf getötet hätte?

Erschrocken rannte sie zum Zimmer der Leiterin. Klopfte an. Vergebens. Wagte es, die Tür zu öffnen. Leer. „Sie arbeitet wohl noch", sagte sie sich ganz laut, um sich zu beruhigen. Und eilte in ihr Büro. Ebenfalls leer.

Sie trat ans Fenster. Nicht die Spur eines lebenden Wesens. Und da begann sie zu schreien.

Nur die Stille antwortete ihr.

Aber die Stille ist keine Antwort, sondern ein Abgrund.

Auf allen vieren kletterte sie wieder die Treppe hinauf und platzte in den Schlafsaal.

„Die Insel ist leer!"

Die meisten schliefen noch. Die anderen knurrten.

„Nicht so laut."

„Was erzählst du da?"

„Keiner mehr da, ich sag es doch. Die Insel ist leer. Dieses verflixte Weib hat uns verlassen."

Und sie schüttelte Thomas und Hillary, die ihren Kopf, wie der Vogel Strauß bei zu großer Angst, unter ihren Kissen vergraben hatten.

„Zieht euch an, ihr Idioten! Was soll aus uns werden?"

Niemand wollte Victorias Worten Glauben schenken.

„Du hast nicht richtig nachgeschaut."

„Bestimmt ist sie draußen mit ihren Wachhunden."

„Aber es stimmt, unsere Leiterin ist winzig klein."

„Fast eine Zwergin."

„Und mit den riesigen Kleidern, die sie trägt…"

„Der Wind wird sie weggeweht haben…"

„Was für ein scheußlicher Tod!"

„Arme Mrs. McLennan!"

„Gut, für den Trick mit dem abschüssigen Fußboden hat sie eine Strafe verdient, aber doch keine so furchtbare!"

„Aber, Freunde, wovor habt ihr denn Angst? Keiner ist besser an einsame Inseln gewöhnt als wir."

„Étienne, sprich jetzt bitte nicht in Rätseln."

„Wir lebten doch schon vor diesem Abenteuer auf einer einsamen Insel…"

„Was meinst du damit?"

„Eine Leidenschaft isoliert dich. Isoliert dich von allem, von den anderen, vom Leben, vom Rest der Welt, genauso wie das Meer."

„Das stimmt, so gesehen…"

„Ich jedenfalls gehe in die Küche."

„Warum? Hast du Hunger?"

„Dummkopf! Wir müssen doch wissen, wie viele Tage wir noch zu leben haben."

„Wir sollten die Speisekammer mit einem Schlüssel abschließen."

„Zwei Schlüssel wären besser. Ich kann ein doppeltes Schloss herstellen."

„Und warum zwei?"

„Dann muss man zu zweit sein, um die Tür zu öffnen. Das ist sicherer."

„Was für ein Vertrauen unter uns herrscht!"

*
* *

Das Unwetter hatte sich verzogen. Der Himmel war von blassem, schüchternem Blau, als wollte er für seinen Zorn vom Vortag um Verzeihung bitten. Eine leichte frische Brise bog die Köpfe jener gelben und blassgrünen Pflanze, die man Fenchel nennt.

Das Meer schlief friedlich unter der Sonne, wie ein erschöpftes Tier. Kleine Wellen huschten über seine Haut, Zeichen für einen nur von sanften Bildern bevölkerten Schlaf. Die Möwen segelten, diesmal lautlos, in den Lüften: Sie lachten nicht mehr, sie hatten begriffen, dass sich an diesem Morgen Ironie nicht ziemte. Man lacht nicht angesichts der Schönheit der Welt. Stare pickten frenetisch im Boden, vor lauter Freude, wieder Vergnügen am Fangen von Würmern gefunden zu haben.

Einen Augenblick lang betrachteten die sieben mit offenem Mund diesen Frieden.

Wer mochte beim Anblick solcher Ruhe glauben, dass hier ein Krieg, der Krieg des Windes, vorübergezogen war?

Das Meer war gestiegen und schien sich nicht mehr zurückziehen zu wollen, und große Wasserflächen ersetzten, was noch am Vortag Heideland gewesen war.

Sir Alex und Mrs. McLennan, die sich auf einen Hügel, den letzten Hügel gerettet hatten, starrten auf die traurige Landschaft. Unsere Leiterin hatte die Lektion verstanden. Sie hatte ihre verrückten Kleider abgelegt, die den Himmel verspottet hatten. Nun war sie grau gekleidet. Über die Wasserlachen springend, näherte sie sich den sieben.

„Liebe Freunde, ich verhehle euch nicht, dass die Lage ernst ist."

Auch Sir Alex kam jetzt herbei. Er hatte sein Phlegma nicht abgelegt.

„In der Tat, das Meer ist ein seltsames Tier."

Nervös traten die sieben von einem Fuß auf den

andern und wussten nicht, was tun: Sollten sie an die Katastrophe glauben? Oder hatte sich Mrs. McLennans grausames Gehirn eine neue schreckliche List ausgedacht, um sie auf die Probe zu stellen?

Étienne, der Ängstlichste, derjenige, der sich vor allem fürchtete und besonders vor Krankheit, sprach als Erster mit zitternder Stimme.

„Sie werden um Hilfe rufen, nicht wahr? Sie werden doch gleich anrufen, damit uns jemand holen kommt?"

„Anrufen? Wie denn anrufen? Du meinst doch nicht etwa, das Telefon hätte das Unwetter überstanden? Hat jemand von euch vielleicht eine Stimme, die laut genug ist, das Festland zu alarmieren?"

Aber gelobt sei Morwenna! Möge ihrer Beherztheit in alle Ewigkeit gedacht werden!

„Kehren wir ins Haus zurück", sagte sie. „Es muss eine Lösung geben! Und wir werden sie finden."

Gelobt sei auch Javier! Er schlug sich sofort auf ihre Seite.

„Jetzt werden wir zeigen, was in uns steckt. Es ist keine Minute zu verlieren."

Keinem war das Wunder bewusst geworden: **Trotz der Vielfalt der Sprachen verstanden sich alle.** Vermutlich hatten die Winde, die schrecklichen Winde, die Wörter in den Köpfen neu verteilt.

XI

Scham ist eine tückische Mikrobe.

Sobald sie in jemanden eindringt, zerfrisst sie seine Willenskraft, seine Fröhlichkeit, alles, was Lebensfreude verleiht. **Der Beschämte verkriecht sich unter der Erde, wie ein Tier, das Winterschlaf hält.** Er schließt sich selber ein. Er antwortet weder auf Worte noch auf Lächeln. Er bleibt regungslos, mit feuchten Händen und gesenkten Augen, die auf seine Schuhspitzen starren.

So erging es Hans mit seiner Scham seit dem Unwetter, dem verfluchten, betrügerischen Unwetter, das er nicht vorauszusehen vermocht hatte, trotz seiner vielen Studienjahre, seiner Abendkurse und der Unzahl von Büchern, die er geduldig und gründlich durchgearbeitet hatte.

Seine Kameraden hatten Mitleid mit ihm. Sie machten ihm kleine Geschenke, sagten ihm Nettigkeiten.

Vergebens.

Scham ist eine hartnäckige Mikrobe. Kein Medikament kann ihr etwas anhaben. Es bedarf großer Projekte, um sie los zu werden.

*
  * *

Und jetzt?

Die sieben hatten sich im Speisesaal versammelt. Hillary hatte Kaffee gekocht. Javier, Victoria und Mrs. McLennan standen immer wieder auf: Sie plünderten den Eisschrank. Manche Menschen sind so: In Krisenfällen müssen sie essen.

Ein sonderbares Lächeln lag auf Sir Alex' Lippen. Die Situation schien ihn zu entzücken. Bestimmt erinnerte sie ihn an bedeutsame Momente seiner Karriere: Es ist Halbzeit, es steht drei zu null für die Gegner, die Mannschaft begibt sich in die Umkleideräume... Welche Worte muss der Trainer finden, um seinen Spielern wieder Siegeswillen einzuflößen?

Wie dieser verfluchten Insel entkommen?

Ich werde nicht verraten, wer weinte, ich will niemanden verpetzen. Außerdem sind Tränen nicht unbedingt ein Zeichen von Schwäche.

Was tun?

Eine ruhige Diskussion war nicht möglich. Die Angst reizte die Gemüter. Der Ton wurde schärfer. Und dann hagelte es Beschimpfungen. „Idiot!" – „Schlappschwanz!" – „Blödmann!" – „Und du, Tussi, halt die Klappe!"

Nur die Müdigkeit beruhigte nach und nach die Geister. Aus all dieser verbalen Gewalt ergab sich zwingend nur ein einziger Schluss. Ausgeschlossen, in einem Schiff zu entkommen: Das untersagten die starken Strömungen. Und die Vielzahl des ange-

63

schwemmten Treibguts, all die trostlosen Masten, die verrosteten Wracks, die bei Ebbe auftauchten wie der Hölle entstiegen, erinnerten an die extreme Bösartigkeit dieser Gewässer.

Wer nahm als Erster das Wort „Flugzeug" in den Mund?

Heute, nach dem Sieg, wird jeder der sieben euch voller Stolz und guten Gewissens sagen: Ich, es war meine Idee!

Aber wer wagte es an jenem Tag, das Wort „Flugzeug" auszusprechen?

Hans. Ohne jeden Zweifel. Hans, unser Meteorologe. Er ist der Vater unseres aeronautischen Abenteuers.

Man sah, wie er sich aufrichtete. Seine Augen bekamen wieder ein wenig Glanz, seine Finger bewegten sich, als folgten sie einer Melodie, die ihm durch den Kopf ging. Kein Zweifel: Er tauchte aus dem Schmerz empor, in dem die Scham ihn gefangen gehalten hatte.

Später, als die Journalisten ihn fragten: „Aber wie sind Sie denn auf die verrückte Idee gekommen, ein Flugzeug zu bauen?", setzte Hans eine bescheidene

Miene auf, die bescheidene Miene wahrhaft stolzer Menschen, und sagte:

„Der Himmel hatte uns mit seinem Sturm überwältigt. Und der Himmel sollte uns auch entschädigen, indem er uns erlaubte zu fliegen."

*
* *

Es fielen noch ein paar ironische Bemerkungen:

„Ein Flugzeug? Warum nicht gar eine Rakete?"

„Ich ziehe Hubschrauber vor!"

Aber die Nacht – immer die Nacht, dank sei der Nacht – brachte Rat.

Und am nächsten Morgen erwachte ein jeder mit dem Gefühl, dass die Entscheidung getroffen war.

XII

Victoria war als Erste aufgestanden und schüttelte unsanft die anderen, die noch schliefen.

„Auf, auf, ihr Faulpelze! Verlieren wir keine Zeit! Wir müssen das Inventar aufstellen."

„Das Inventar? Was für ein Inventar? Wozu ein Inventar?"

Victoria bedachte ihre Kameraden mit einem verächtlichen Blick.

„Wer hat *Robinson Crusoe* gelesen?"

Zaghaft hoben sich zwei Finger.

„Gut. Für die anderen fasse ich zusammen. Nach einem Schiffbruch fand sich Robinson allein auf einer Insel wieder. Robinson ist ein großer Überlebenskünstler. Wir müssen seine Lektionen beherzigen."

„Was hat das mit dem Inventar zu tun?"

„Erste Lektion: Eine vollständige Liste aller auf der Insel verfügbaren Reichtümer aufstellen. Und vor allem OHNE AUSZUSORTIEREN, denn niemand weiß, was die Phantasie uns eines Tages eingeben mag: Ein ordinäres Stück Holz, das man wegwerfen will, kann sich in

einen kostbaren Mast verwandeln, vorausgesetzt, man kommt auf die Idee, ihm ein Stück Stoff hinzuzufügen und dadurch ein Segel zu bauen."

Die Stipendiaten murrten ein bisschen. Victorias autoritärer Ton ging ihnen arg auf die Nerven. Aber sie hatte Recht. Die Zeit drängte. Und dieser Robinson war ein Vorbild, das nützlich sein konnte.

Daher zogen sie sich in Windeseile an, schlangen im Speisesaal zwei Butterbrote hinunter und schlüpften in ihre Stiefel. Die Erkundung konnte losgehen.

„Du kommst nicht mit uns?"

„Ich kümmere mich um den Motor!" erwiderte Victoria hochmütig wie immer. „Ein Motor ist für ein Flugzeug immerhin wichtig, oder? Javier, willst du mir helfen? Ich werde dich nicht lange brauchen. Aber es müssen ein paar verrostete Schrauben gelockert werden."

Diesmal war Victoria zu weit gegangen. Wie anmaßend. Diese Art, jedermann Befehle zu erteilen! Und vor allem sich den schönen Javier unter den Nagel zu reißen, an dem auch die anderen Mädchen Gefallen fanden… Man warf ihr finstere Blicke zu.

Aber da sie sich bereits an die Arbeit gemacht hatte und der Länge nach auf dem Boden lag, beide Hände im Bauch der Waschmaschine, zuckten die anderen die Achseln und machten sich auf den Weg, um es dem großen Robinson gleichzutun und das ominöse „Inventar" aufzustellen.

*
* *

Die Erkundung war zeitraubend, mühsam und entmutigend. Jeder Strauch wurde in Augenschein genommen, jede Erdspalte danach abgesucht, ob sie nicht irgendein Versteck oder den Eingang zu einer Grotte barg. Und was war der Erfolg? Außer ein paar Brettern und einem verrosteten Eisenbett, das nach irgendwelchen Abenteuern an den Strand geschwemmt worden war, fanden wir nichts. Als hätte uns jemand die Augen verbunden. Oder vielleicht war es einfach so, dass wir noch nicht richtig hinzusehen verstanden. **Denn die Insel, diese Insel, die uns im Moment noch völlig leer zu sein schien, würde uns später all ihre wunderbaren (und seltsamen) Reichtümer offenbaren.**

Wie dem auch sei, vorläufig kehrte bei Einbruch der Dunkelheit eine erschöpfte, mutlose Gruppe in den Speisesaal zurück.

„Siehst du, was ich sehe?"

„Wo hat sie das alles gefunden?"

Victoria hatte die Tische zusammengerückt. Und auf dieser Art Podium hatte sie alle Motoren ausgebreitet, die sie hatte abmontieren können.

„Für alle, die sich mit Maschinen nicht auskennen: Das hier ist der Motor der Waschmaschine; den da habe ich aus der Gefriertruhe geholt; und dieser kleine hat den Ventilator betrieben; rechts neben ihm der Rest eines Außenbordmotors, leicht verrostet…"

Und so weiter. Sie hatte ein gutes Dutzend aufgetrieben.

„Es fehlen noch die beiden schwersten. Der Motor des Landrover hinten im Hof. Und in dem Wrack des Traktors in der Nähe der Mole, das ganz von Brombeerzweigen überwuchert ist, habe ich ein paar brauchbare Einzelteile gefunden. Nun, was meint ihr dazu? Wenn es mir mit all diesen Motoren nicht gelingt, einen Motor, **unseren Motor** zu bauen, dann will ich nicht Victoria heißen!"

Sie strahlte vor Stolz und Zuversicht. Zwischen all den Motoren strich ein gutes Dutzend Katzen herum. Sie rieben ihren Rücken an den Stahlblöcken. Sie schnurrten vor Glück. Seit wann begeisterten sich Katzen, jedenfalls die Katzen dieser Insel, für Mechanik? Seltsam!

„Und jetzt, sagte Victoria, müsst ihr mir eure Uhr geben!"

„Unsere… Uhr?"

„Fliegen oder nicht fliegen. Ihr müsst wissen, was ihr wollt! Ich brauche alle Motoren, große oder kleine!"

Alle sechs, auch Javier, sahen Victoria verblüfft an: War ihre Kameradin verrückt geworden? Dann brach einer nach dem andern in Lachen aus.

„Du machst dich wohl über uns lustig, oder?"

Victoria schüttelte den Kopf.

„Man muss wissen, was man will! Im Augenblick rühre ich den Generator noch nicht an, den, der uns den Strom liefert. Er wird ohnedies bald nicht mehr funktionieren, weil das Benzin fehlen wird. Egal, dann zünden wir einfach Kerzen an. Hier sind zwei Schachteln... Und jetzt, legt euch schlafen! Ich werde noch ein wenig arbeiten."

Diese Victoria mochte unerträglich sein, aber wie sollte man sie nicht bewundern?

*

* *

Am nächsten Morgen, als sie wieder in den Speisesaal kamen, sahen die Stipendiaten, dass Victoria noch immer auf ihrem Stuhl saß, an genau der Stelle, wo sie sie zurückgelassen hatten. Und dass sie schlief. Noch immer hielt sie ihren Stift in der Hand, und ihre Stirn lag auf einem Stapel Papier voll bizarrer, komplizierter Zeichen. Sie öffnete ein Auge:

„Ich glaube, ich habe die Lösung. Es fehlt bloß noch der Treibstoff."

Sie lächelte. Und völlig erschöpft schlief sie wieder ein.

XIII

Wo sollte man auf dieser einsamen und mehr und mehr vom Meer bedrohten Insel einen Rumpf, **den Körper des Flugzeugs,** finden?

Hillary war am ängstlichsten. Als Spezialistin für Dosen und Kästen in allen erdenklichen Größen, von der Schmuckschatulle bis hin zu den Betonklötzen, in denen man Atomkraftwerke unterbringt, war sie für diesen wichtigen Teil des Unternehmens verantwortlich. Und da sie gehört hatte, dass das Gehen die Phantasie anregt (beim Gehen belastet man die winzigen Pumpen, die sich in der Fußsohle befinden: Sie befördern Blut und damit Sauerstoff ins Gehirn), ging sie los und durchstreifte ohne Unterlass die Insel. Und immer wieder kam sie an einer kleinen Bucht vorbei.

Einem Meisterwerk von einer Bucht.
Sie sah aus wie eine blaue Arena oder eine Zirkusmanege, fast vollkommen rund, gleichsam in den Felsen gehauen und mit einer engen Einfahrt versehen. Die Wellen brachen sich hier mit dumpfem Grollen. Nur an völlig windstillen Tagen konnte man auf den Grund sehen: Sand, ein vollkommener

Kreis weißen Sandes, der nachts phosphoreszierte. Sodass man sich fragte, ob nicht der Mond sich dort inkognito ausruhte, bevor er wieder zum Himmel aufstieg, um sich von neuem seiner Arbeit als zeitweilige Laterne zu widmen.

Und außerdem gab es dort unten jene dunkle, längliche Form, die wie ein dicker, haariger Stift im Sand lag. Die Algen wogten in den Strömungen wie endlose Strähnen, die ein träger Wind bewegt.

Bis zu jenem Tag hatte Hillary sich damit begnügt, diese Absonderlichkeit zu betrachten. Welcher gute Geist gab ihr plötzlich die Frage ein, die alles verändern sollte? Wie soll man das wissen bei all den wunderlichen Gestalten, die sich in unserm Kopf tummeln, ihren unvorhersehbaren Launen und Einfällen? Plötzlich fragte sie sich: Was mag diese Vegetation wohl verbergen?

Sie überwand ihr Schwindelgefühl und kletterte die Klippe hinunter. Bald war sie im Wasser und schwamm auf die dunkle Form zu.

Sie schauderte: Die Algen, offenbar erfreut über ihren Besuch, streichelten ihren Bauch, während Krabben oder andere unsichtbare Tiere an ihren Beinen knabberten. Sie streckte die Hand aus, riss eines der Seegräser aus und schrie auf. Statt des erwarteten Felsens, jenes guten alten Granits, war ein Stück Knochen erschienen, ein weißlicher Fleck, unwirklich in diesem wogenden Wald, in dem alles grün, braun und schwarz war. Sie bezwang ihre Furcht, legte einen Finger auf die helle Stelle und lächelte: Noch nie hatte sie eine sanftere Oberfläche berührt.

Und da überkam sie eine große Erregung. Ist die Neugier erst einmal geweckt, wie soll man ihr widerstehen?

Sie riss noch eine Alge aus und noch eine. Ohne hinzusehen. Mit frenetischen Bewegungen. Zuschauer hätten sie für verrückt gehalten. Glücklicherweise waren ihre Gefährten anderweitig viel zu beschäftigt, um sich für ihr Bad zu interessieren. Und da kam ihr die Idee.

Eine unwahrscheinliche Idee, sogar eine beunruhigende Idee, eine Idee, die stark genug war, um, kaum geboren, alle Hindernisse beiseite zu schieben. Als Erstes das Schwindelgefühl: Hillary erklomm die Klippe so leicht und gelassen wie ein erfahrener Bergsteiger.

Und kaum war sie wieder angezogen, rannte sie mit noch triefenden Haaren quer über die Insel, um ihre Kameraden zusammenzutrommeln.

„Kommt schnell! Ich habe ihn gefunden! Ich habe ihn gefunden!"

„Beruhige dich, bitte. Wenn du dich sehen könntest... Wie eine Irre. Verschnauf erst mal."

„Ich habe unseren Rumpf gefunden."

Murrend ließen sich die sechs – einschließlich Victoria, die sich bisher weder am Tag noch in der Nacht von ihren Motorteilen getrennt hatte – zu der kleinen Bucht schleppen. Und dort wurde ihr Verdacht zur Gewissheit: Die Angst und die Entbehrungen hatten Hillarys Gehirn zerrüttet. Die Unglückliche hatte schlicht und einfach den Verstand verloren. Denn wie sonst sollte man sich den Wahnsinn ihres Vorhabens erklären?

„Vor euch seht ihr das Geripppe eines Walfischs. Man braucht es nur von den Algen zu befreien und ans Ufer zu ziehen."

Die sechs sahen sich niedergeschmettert an: arme Hillary! Vor allem durfte man ihr nicht widersprechen.

Also stiegen sie einzig aus Mitleid, ohne eine Sekunde an das Resultat zu glauben, ins Wasser und machten sich an die überaus eklige Säuberungsarbeit.

Am Abend war das Skelett freigelegt, die Überreste eines hübschen, kleinen, zwanzig Meter langen Walfischs. Zu neugierig oder zu hungrig, hatte er sich wohl in die Bucht hineingewagt und nicht wieder herausgefunden.

Gegen Abend war das Wasser auf seinen niedrigsten Stand gesunken. Das heißt, dass man in das Tierskelett hineinsteigen konnte. Hillary strahlte.

„Seht ihr? Ich hatte euch nicht belogen. Da passen wir alle sieben bequem hinein. Und brauchen keine Erste-Klasse-Sitze, nicht wahr?"

Und wenn ihre Freundin nun nicht verrückt, sondern genial wäre?

Diese Frage fand kurz darauf eine endgültige Antwort, als Hillary sich vorbeugte, einen Kieselstein ergriff und zur Verwunderung und zum Entsetzen ihrer Kameraden auf einen der Knochen zu klopfen begann.

„Du bist wirklich krank, Hillary, hör auf!"

Sie fuhr fort, an dieser oder jener Stelle zu klopfen, ohne die Proteste zu beachten. Dann stand sie zufrieden auf.

„Es ist so, wie ich dachte: Die Algen haben das Skelett geschützt, es ist kräftiger denn je. Sehen wir uns jetzt etwas anderes an."

Sie bückte sich, packte das äußerste Ende des armen Wals und hob es mühelos hoch.

„Kennt ihr etwas Leichteres? Das Meer hat gute Arbeit geleistet. Schön. Wir haben unsern Rumpf. Meint ihr nicht? Dieser Wal war einge-schlafen. Wir werden ihn wieder auf-wecken!"

Und alle klatschten Beifall. Da setzte Hillary eine bescheidene, demütige Miene auf, die in allen Schulen gelehrt werden sollte: Man kneift die Augen zusammen, senkt den Kopf, lächelt ein klein wenig und hebt die Handflächen vor sich hoch, um aller Welt deutlich zu machen, dass man so viel Ehre gar nicht verdient.

„Jetzt muss es an Land gezogen werden. Du bist dran, Étienne. Zeig uns, dass du der König der Spediteure bist!"

XIV

„Eins! Zwei! Eins! Zwei! Nicht langsamer werden!"

Étiennes Ängste, seine Furcht vor einer oder mehreren Krankheiten waren wie weggeblasen und er, der König der Spediteure, hatte sich in einen Turnlehrer verwandelt.

„Ich bin zu müde, gleich werde ich ohnmächtig."

Ein unerbittlicher Lehrer, der keine Schwäche duldete.

„Nur Mut, Victoria. Wenn wir die Flut verpassen, garantiere ich für nichts mehr."

Sir Alex stimmte zu. Er erinnerte sich an seine Erfahrung als Trainer und gab wertvolle Ratschläge:

„Einatmen, ausatmen, einatmen... Hans, denk nach, wie willst du atmen, wenn du vorher nicht deine Lungen aufpumpst?"

Wer hatte wohl früher auf der Insel gewohnt? Und zu welchem Zweck? Die Schwimmflossen, Taucheranzüge und -masken sowie die zehn Schlauchboote, die sie in einem (schlecht) verschlossenen Schuppen entdeckten (der Riegel zerfiel beim ersten Druck zu rotem Staub, so sehr hatte die Feuchtigkeit ihn zerfressen), ließ an eine Basis für Kampfschwimmer denken. Kampf gegen wen? Welchen Feind? Beängstigendes Rätsel. Doch solch einen unerwarteten Fund durfte man auf keinen Fall verschmähen. Auch wenn das Fehlen jeglichen Außenbordmotors die Hoffnung, mit diesen Booten entfliehen zu können, zunichte machte. Jetzt galt es, die vielen Schläuche aufzublasen. Und da erfand Étienne eine geeignete Vorrichtung: eine Reihe von Blasebälgen, die mit dem Fuß betätigt werden.

Und die sieben hoben abwechselnd das eine und das andere Bein. Eins! Zwei! Eins! Zwei! …

Sir Alex schlug den Takt.

Von weitem sah es aus wie ein Seniorenclub, oder ein Turnverein.

„Wozu das Ganze, wenn die Strömungen so oder so zu stark sind?"

„Halt den Mund und mach weiter."

„Es geht nicht weiter, ich trete ja auf der Stelle."

„Bloß dein Verstand tritt auf der Stelle."

Kurz, nach einigen schnell niedergeschlagenen Meutereien dieser Art lag die Bootsflotte bald bereit. Nichts einfacher, als sie zu Fuß weiterzubefördern: Sie glitten wie Schlitten über das Heideland. Danach brauchte man sie nur noch von der Klippe zu werfen.

Und da begann man auch die Idee des Meisterspediteurs zu erahnen. Er wartete darauf, dass das Wasser sank, und verfolgte dessen Spur auf dem Sand. Sobald es im Stau war, gab er das Zeichen.

„So, jetzt können wir."

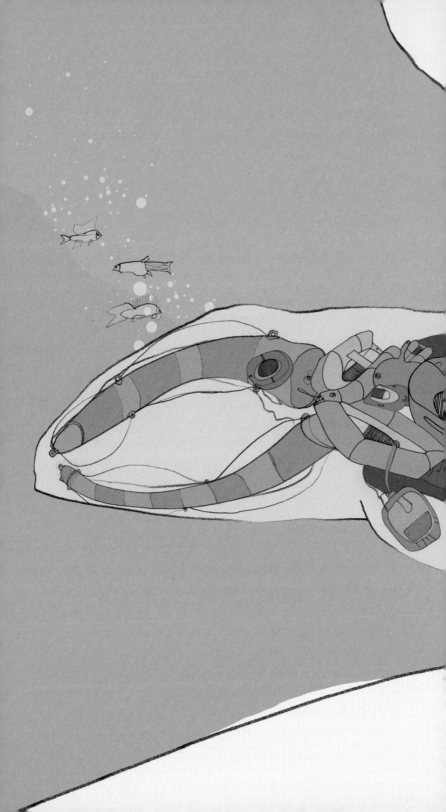

Durch das weit offene Maul des Wals wurden die Boote nacheinander in das Skelett geschoben.

Jetzt mussten die sieben nur noch warten.

Ein seltsames Schauspiel, fast wie eine Röntgenaufnahme: Unter dem hellen Knochengewölbe wirkten die dunklen Schatten der Boote wie Organe: Herz, Leber, Lungen! **Vielleicht würde das riesige Tier zu neuem Leben erwachen?**

Der Plan ging auf! Denn in dem Maße wie die Flut stieg, löste sich der Wal von seinem Algenbett.

Der Rest der Reise verlief ohne Schwierigkeiten. Denn die zurückflutende Strömung übernahm alles: Sie schleuste das gewissermaßen auferstandene Tier durch den Engpass aus der Bucht und trieb es an der Küste entlang nach Süden bis zum Strand. Dort banden die sieben ihm ein Seil um den Schwanz und brauchten nur noch zu ziehen.

*

* *

„Schlaft ihr?"

„Nein."

„Ich auch nicht."

„Und ich ebenso wenig."

Die Kerze, das einzige Licht im Schlafsaal, war seit langem gelöscht, doch keiner konnte Schlaf finden. Der Gedanke an den Wal beschäftigte alle viel zu sehr.

„Ich danke euch für eure Hilfe."

„Keine Ursache, Hillary."

„Bravo auch für Étienne."

„Meint ihr, Victoria wird unseren Motor hinkriegen?"

„Jedenfalls ist es zwecklos, ihr unsere Hilfe anzubieten."

„Wir durchschauen dich, Javier. Hör auf, ihr nachzusteigen."

Gibt es etwas Schöneres als im Dunkeln endlos mit Freunden zu reden? Man segelt gemeinsam in der Nacht wie auf einem unendlich ruhigen Meer. Und nie, nie werden wir uns trennen…

„Ich habe noch eine Frage."

„Nur zu."

„Es ist wirklich die letzte, Hillary! Schau, es ist fast vier Uhr!"

„Wir können das Skelett doch nicht nackt lassen. Für unser Flugzeug brauchen wir eine Haut."

„Hast du eine Idee?"

„Sogar zwei. Entweder verwenden wir unsere Bettlaken…"

„Niemals! Die brauchen wir dringend zum Schlafen."

„Außerdem sind sie zu dünn, sie werden zerreißen."

„Dann nehme ich die alten Segel."

„Ausgezeichnet! Ein Segel ist schließlich dazu bestimmt, sich mit der Luft zu vertragen."

„Hört mal, Mädchen, jetzt reicht es aber!"

„Ja, wir sind todmüde!"

XV

Konstruieren!

Das war bei Morwenna zur Manie geworden. Ein Bedürfnis, das alles andere in ihr verdrängte. Eine Flut, die immerfort stieg. Eine Melodie, die ihr nie aus dem Kopf ging: konstruieren, endlich einen Flügel in der richtigen Größe konstruieren!

Von Kindheit an hatte sie so viele Flügel betrachtet, so viele gezeichnet, von so vielen geträumt! Und **irgendwann muss die Hoffnung doch Wirklichkeit werden**: Ein Kind, das nicht geboren werden will, tötet schließlich die Mutter, die es trägt. Genau das war es, was Morwenna empfand. Ich trage die vollkommenste Form der Welt in mir: einen Flügel. Wenn ich keinen Weg finde, ihn wirklich herzustellen, das heißt, ihn aus mir herauszupressen, dann werde ich sterben. Eben deshalb hatte die Insel sie, schon lange vor dem Unwetter, so enttäuscht: Bei ihrer Ankunft hatte sie geglaubt, mit ganzer Seele geglaubt, die Stiftung hätte ihr alles bereitgestellt, was nötig war, um ihren ersten Flügel zu konstruieren. Doch leider gab es auf der Insel keine Bäume und folglich kein Holz, und es gab auch weit und breit kein Aluminium... Deshalb hatte sie schon lange vor dem Unwetter entfliehen wollen. Wozu in einer Wüste bleiben, in der niemand jemals seinen Traum verwirklichen konnte? Und jetzt, da die hochnäsige Hillary den idealen Rumpf entdeckt hatte, wuchs Morwennas Schmerz ins Unerträgliche: Ich fühle es genau, sie warten auf mich, sie alle warten auf mich. **Was ist ein Flugzeug ohne Flügel?** Und wie werde ich es anstellen, dass zwei Flügel entstehen? In die Hände klatschen, bei Vollmond Zaubersprüche murmeln? Mich dem Teufel verkaufen? Warum nicht? Doch wie mit ihm Kontakt aufnehmen, um ihm den Handel vorzuschlagen? Hat der Teufel eine Adresse im Internet?

*

* *

Es war Javier, der die Gruppe rettete, und zwar dank seiner größten Schwäche: der Ironie, dem ständigen Hohngelächter.

Was ist ein ironischer Mensch?

Das ist jemand, Mann oder Frau, der augenkrank ist: Er kann nicht anders, er sieht bei den Leuten oder Dingen nur die Fehler, das Lächerliche einer Situation.

Nachdem er beim Transport des Wals mitgeholfen hatte und zum Haupthaus zurückgekehrt war, ließ er an jenem Abend sein ironisches Auge über

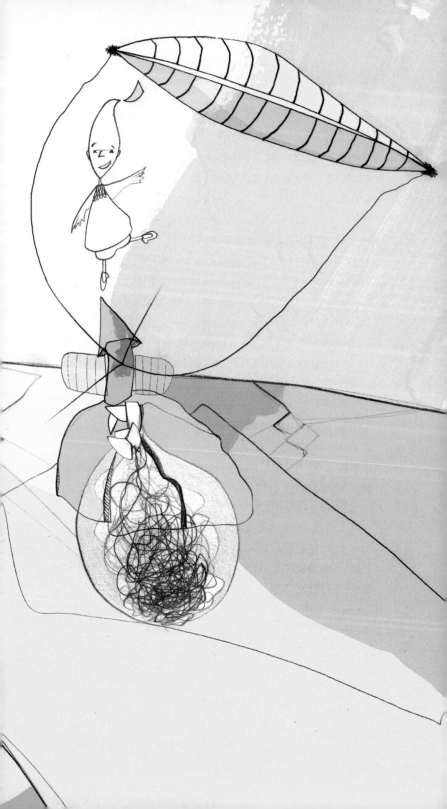

die Insel schweifen: Was werde ich heute wohl Groteskes entdecken können?

Und, was für ein Glück, seine Jagd war erfolgreich.

Diesen Turm, der dort oben auf dem Hügel stand, hatte er noch nie richtig angeschaut. Und nun offenbarte er sich ihm in all seiner Absurdität: zu niedrig, um ein Leuchtturm zu sein, zu hoch, um Zollbeamten oder anderen Berufsaufpassern als Deckung zu dienen, war er untauglich, ein Nicht-Turm, ein Turm für nichts.

Javier begann zu lachen, sein wohl bekanntes und von allen verabscheutes Lachen, ein knirschendes Lachen, so unerträglich wie ein über eine Schiefertafel kratzender Fingernagel.

Alle stürzten herbei, nahe daran, ihn zu erwürgen.

„Sei sofort still oder du wirst es bereuen."

Javier bog sich vor Heiterkeit.

„Nein, schaut euch diesen blödsinnigen Turm an. Wozu kann er wohl nützen? Außerdem hat er ein großes Loch auf jeder Seite."

Und da kam Morwenna die Erleuchtung. Mit leiser Stimme murmelte sie:

„Eine Windmühle."

„Sag das nochmal, wir haben dich nicht gehört."

„Es ist eine Windmühle. Wenn wir ein wenig Glück haben, sind ihre Flügel aufbewahrt worden."

Alle halfen ihr, die Tür aufzubrechen. Sechs der sieben machten laut ihrer Enttäuschung Luft: Es gab dort nichts Brauchbares. So etwas wie völlig aus den Fugen gegangene Leitern, an denen noch Fetzen eines steifen, mehr als zur Hälfte von den Ratten zerfressenen Tuchs hingen.

Nur Morwennas Gesicht strahlte vor Freude.

„Ihr begreift überhaupt nichts. Das sind die Flügel, die ich gesucht habe. Halleluja, Halleluja!"

Und augenblicklich krempelte sie die Ärmel hoch.

*

* *

Unterdessen spannte und klebte Thomas – mit der Hilfe von Hans – die alten Segel auf das Skelett. Nach und nach nahm der Wal wieder Gestalt an. Nur seine Farbe war befremdlich: Wer hat schon jemals eine dunkelbraune Walfischhaut gesehen, die ins Rötliche spielt und mit Buchstaben und Zahlen übersät ist, D2 382, CC 228? Man verstand erst auf den zweiten Blick, dass es sich bei den Zahlen und Buchstaben um Schiffsregistrierungen handelte…

Étienne legte letzte Hand an einen Minikran, der es Victoria ermöglichen sollte, den riesigen Motor des Traktors hochzuheben und zu transportieren.

Javier dagegen war nach seiner Entdeckung zurück in den Schlafsaal gegangen. „Ich habe die Grippe", hatte er erklärt und sich die Hand auf die Stirn gelegt. Aber niemand hatte seinen Faxen Glauben geschenkt. Wahrscheinlich brauchte er nur Ruhe, bestimmt heckte er etwas aus. Aber was? Das sollte sich bald zeigen. Leider!

Jedenfalls waren alle so beschäftigt, dass keiner das Sanitätsschiff kommen sah.

„IHR HABT NICHTS MEHR ZU BEFÜRCHTEN!"

„IHR SEID GERETTET!"

Wir sprangen aus unseren Betten! Eine gewaltige Stimme, offensichtlich durch einen Lautsprecher zehnmal verstärkt, schallte über die Insel. Wir rannten zu der Stelle, von der diese vermessenen Worte zu kommen schienen.

„PACKT EURE SACHEN ZUSAMMEN!"

„NEHMT NUR DAS ALLERNÖTIGSTE MIT!"

Ein Berg näherte sich dem Kai, ein von der Wasserlinie bis zum höchsten Radarschirm schneeweißes Passagierschiff. Auf der Brücke, neben einem betressten Kommandanten, gestikulierten zwei Männer und eine Frau. Alle drei trugen Kittel von der Farbe ihres Schiffs, vollkommen weiß, und ein Stethoskop um den Hals. Was hatten Ärzte auf unserer Insel zu suchen? Meines Wissens waren wir zwar alle todmüde vor Arbeit, aber niemand war krank. Der Mann, der der Chef der Weißkittel zu sein schien, wandte sich an unsere Leiterin, die uns vorausgegangen war.

„Verzeihen Sie, dass wir so spät kommen, aber

bei diesem schrecklichen Sturm wussten wir nicht, wo uns der Kopf stand."

„Sie sind alle entschuldigt. Was können wir für Sie tun?"

„Für Sie tun…?"

Der Chefweißkittel war sprachlos.

„Na, die Evakuierung vorbereiten, natürlich!"

Er nahm seinen Lautsprecher in die Hand.

„SIE HABEN ZEHN MINUTEN!"

Auf einen Wink des betressten Kommandanten hin wurde eine Fußgängerbrücke herabgelassen. Kurz darauf standen die drei Weißkittel auf dem Kai und kamen mit offenen Armen auf uns zu.

„Euer Alptraum ist zu Ende, Kinder."

Wir trauten unseren Augen und Ohren nicht.

„Unser Alptraum? Was für ein Alptraum?"

„Und was für Kinder? Siehst du hier Kinder? Warum nicht gleich Babys?"

Die drei Ärzte ließen uns nicht mehr los. Sie bestanden darauf, uns mit ihren Stethoskopen abzuhorchen. Sie klopften uns auf die Wangen, baten uns, die Zunge herauszustrecken, bestürmten uns mit Fragen.

„Kein Schwindelgefühl?"

„Pocht dein Herz nicht zu schnell?"

„Kein Durchfall, bestimmt nicht? Schläfst du gut? Na, komm schon, lüg nicht."

Unsere gute Gesundheit schien sie zu erstaunen und, mehr noch, zu ärgern. Die ärztliche Untersuchung wurde abrupt abgebrochen. Und wieder nervte uns der Lautsprecher.

„GUT. ENDE DER VORSTELLUNG. ANDERE INSELN

WARTEN AUF UNS. ICH GEBE EUCH ZEHN MINUTEN. ODER WIR FAHREN OHNE EUCH AB!"

Dieser Drohung folgte ein langes Schweigen. Man hörte nur noch das Surren der Maschinen und das leise Klatschen der Wellen an die Schiffswand. Ernst und feierlich sahen wir uns an. Einer nach dem andern schüttelte den Kopf. Und Morwenna ging auf den Chefweißkittel zu.

„Wir haben beschlossen, hier zu bleiben."

„WIE BITTE?"

„Sie brauchen nicht zu schreien. Wir haben einen Plan. Und wir werden ihn zu Ende bringen."

„SO EINFACH GEHT DAS NICHT!"

„Endlich kann ich einmal Flügel konstruieren!"

„Und ich die Festigkeit meines Kleisters testen."

„Endlich bin ich Teil einer Gruppe."

Die drei Weißkittel wandten sich an die Leiterin.

„SAGEN SIE ETWAS!"

Mrs. McLennan lächelte. Seit der Ankunft des Schiffes hatte sie uns unentwegt angeschaut, und ihr Lächeln war immer strahlender geworden. Ich glaube, in diesem Moment begann sie uns richtig zu lieben.

„Das sollen sie allein entscheiden."

„WAS? SEIT WANN ÜBERLÄSST MAN KINDERN DIE ENTSCHEIDUNG?"

„Seit sie keine Kinder mehr sind."

Auf seiner Brücke wurde der betresste Kommandant ungeduldig. Er schrie etwas, was man nicht verstand.

Der Chefarzt übergab den Lautsprecher seiner Nachbarin, schob die Hand in seine Tasche, zog ein

Blatt Papier und einen Stift heraus, reichte beides unserer Leiterin und ergriff wieder sein ohrenbetäubendes Gerät.

„SCHREIBEN SIE! ‚ICH ÜBERNEHME DIE VOLLE VERANTWORTUNG DAFÜR, DASS ICH MICH DER EVAKUIERUNG WIDERSETZE.'"

„Ich ziehe es vor, die Wahrheit zu schreiben, und zwar: Einstimmig haben die sieben Stipendiaten und ihre Leitung beschlossen, auf der Insel zu bleiben, um ihr Projekt in die Tat umzusetzen."

„SIEBEN STIPENDIATEN? ICH SEHE NUR SECHS."

Javier wurde ärgerlich.

„Stellen Sie sich vor, Victoria kümmert sich um unsern Motor. Sie will ihre Zeit nicht mit Unsinnigkeiten vergeuden."

„Und auch ich habe zu tun", sagte Morwenna.

„Ich auch."

„Und ich ebenso, was glauben Sie denn?"

„Also, tschüs!"

Das weiße Trio wollte sich nicht damit abfinden, uns unserem traurigen Schicksal zu überlassen. Die drei Weißkittel versperrten uns den Weg.

Und da nahm Étienne, unser sanfter, furchtsamer, riesiger Étienne, unser Spediteur, die Weißkittel in seine ungeheuer langen Arme, ja, alle drei Weißkittel auf einmal, und trug sie ungeachtet ihrer Proteste und ihrer wild unter den Kitteln strampelnden kleinen Beine die Gangway hinauf und übergab sie dem betressten Kommandanten wie ein Geschenk. Während des Gedränges war der Lautsprecher auf den Kai gefallen. Mit einem sanften Fußtritt, über den Sir Alex sich unauffällig freute, beförderte unsere Leiterin ihn ins Meer.

*
* *

Noch am selben Abend, gegen dreiundzwanzig Uhr, begann die Insel zu beben. Sprechen wir das Unaussprechliche aus: Entsetzen erfasste uns. Wir boten keinen schönen Anblick. Einige klapperten mit den Zähnen, andere weinten. Und es kam zum Streit. Zu einem bösen Streit voller Bitterkeit und Groll.

„Wir werden alle ertrinken!"

„Wie idiotisch, dass wir nicht auf das weiße Schiff gegangen sind!"

„Daran bist du schuld, Javier!"

„Nein, du, Morwenna! Mit deiner grässlichen Manie, immer für alle reden zu wollen…"

„Halt!" sagte Hans. „Hört zu!"

„Ach du, du kannst ja nicht mal richtig in die Wolken schauen…"

„Hör zu, Dummkopf. Findet ihr nicht, dass es sich anhört wie…"

„Du hast Recht, es hört sich an wie…"

„Ein Motor!"

Mehr bedurfte es nicht, um unsere Angst, unseren Zank mit einem Schlag zu beenden. Wir rannten zum Speisesaal.

*
* *

Ein Knoten.

Auf dem Fliesenboden lag ein riesiger Knoten, ein Wirrwarr von Rohren. Und er vibrierte heftig. Brummte wie tausend Donner. Spuckte hier und dort hohe Dampfstrahlen.

Ein Motor.
Unser Motor.

Victorias Meisterwerk.

Unnötig, euch zu sagen, dass wir sie feierten, wie sie es verdiente. Aber warum reagierte sie nur unwillig auf unsere Komplimente? Liebe Victoria. Manchmal hast du zwar einen etwas schwierigen Charakter, aber genial bist du zweifellos...

„Wie schön er ist."

„Na, ja, das ist Geschmacksache...."

„Wie solide er aussieht!"

„Das muss sich erst erweisen."

„Welche Stärke!"

„Das stimmt allerdings, er kann fünf Walfische zum Fliegen bringen. Wenn man ihm nur genug zu trinken gibt..."

Als hätte er das gehört, begann unser Motor zu glucksen. Einmal. Zweimal. Hustete zum Steinerweichen. Viermal. Und blieb mit einem tiefen Seufzer stehen. Abrupt.

Victorias Lächeln war blass, noch blasser als ihr Gesicht.

„Ja, ich habe einen schönen Motor gebaut. Aber was nützt ein Motor ohne Treibstoff?"

„Du sagtest, du hättest eine Idee."

„Die Idee, das waren die Benzintanks des Autos

und des Traktors. Ich habe sie für diesen ersten Versuch geleert. Bis auf den letzten Tropfen."

Langsam zog sie ihren ölverschmierten blauen Overall aus.

„Ich lege mich hin. Wenn jemand eine Lösung weiß, darf er mich wecken. Aber wirklich nur dann."

XVII

Schon von draußen hörte man ihr Gezänk.

„Kommt nicht in Frage!", kläffte Hillary.

„Zwei Etagen, dumme Gans!", brüllte Javier.

Schon am frühen Morgen waren sie in den Wal gekrochen und hatten angefangen, darüber zu diskutieren, wie sie dieses riesige Gerippe einrichten könnten. Anfangs war der Meinungsaustausch höflich gewesen. Aber der Ton hatte sich schnell verschärft. Und von Minute zu Minute wurden die Beschimpfungen heftiger.

„Nur über meine Leiche!"

„Ich hätte Angst, mich schmutzig zu machen!"

Alarmiert eilte die Leiterin herbei.

„Morwenna?"

„Ja, Madam?"

„Hole sofort Sir Alex. Bestimmt hat er Erfahrung mit Streitereien unter Spielern. Man muss sich vor Beschimpfungen in Acht nehmen: Ab einem bestimmten Grad von Boshaftigkeit bleiben sie für immer haften, man vergisst sie nie und eine Versöhnung ist nicht mehr möglich. Schnell."

Im Wal waren die beiden Streithähne wohl nicht weit davon entfernt, handgreiflich zu werden.

„Armes Mädchen! Schau dich doch an! Deine Haare sind dermaßen dreckig, wie soll dein Gehirn da sauber sein?"

„Fass mich nicht an! Oder ich kratz dir die Augen aus!"

Étienne und Hans wollten gerade eingreifen, als Sir Alex eintraf. Er spielte den erschöpften alten Mann, der sich ärgert, dass man seine Ruhe stört. In Wirklichkeit aber erriet man an einem leichten, sehr leichten Blinzeln seiner Augen, dass er entzückt war, zu seiner einstigen Tätigkeit zurückzukehren. Er bat Hillary und Javier nach draußen und führte sie in die Werkstatt.

Inzwischen war die ganze Gruppe dort versammelt. Alle saßen, außer den beiden Streithähnen. Sie standen einander gegenüber, ohne sich anzusehen.

„Gut", sagte Sir Alex. „Jeder wird seinen Standpunkt darlegen. Wenn ihr eine Skizze braucht, hinter euch ist eine Wandtafel. Und vergesst nicht: Dem ersten, der laut wird, entziehe ich das Wort. Also, Hillary."

Noch immer voller Zorn begann sie mit schrillen Tönen. Aber nach und nach gelang es ihr, sich zu beherrschen.

„Er will – könnt ihr euch das vorstellen? –, er will in unserm Wal eine Treppe bauen!"

Diese Enthüllung erntete schallendes Gelächter: eine Treppe, also wirklich! Wir kannten Javiers Leidenschaft für Treppen, aber hier ging er denn doch etwas zu weit. Hillary hatte Recht, sich diesem Irrsinn zu widersetzen…

Mit einer Handbewegung stoppte Sir Alex das Getöse.

„Gut, Hillary hat gesprochen. Du bist dran, Javier."

Der erste Teil seiner Argumentation war glasklar.

„Jeder Raum muss ausgefüllt werden. Einverstanden?"

„Einverstanden."

„Das Gerippe unseres Wals ist sehr groß. Warum nicht zwei Etagen darin unterbringen? Schließlich kann niemand wissen, wer unser Flugzeug benutzen

wird. Die künftigen Passagiere würden dadurch mehr Platz haben. Stimmt doch, oder?"

„Stimmt."

Hillary protestierte.

„Ich habe lieber viel Platz über meinem Kopf."

„Selbst wenn du deine Zöpfe mit Gel hochstellst, werden sie die Decke nicht berühren."

„Blödmann!"

„Dumme Kuh!"

Sir Alex schaltete sich ein, und Javier beendete seine Rede.

„Wer zwei Etagen will, der braucht notgedrungen eine Treppe, um von einer zur andern zu gelangen."

Die Gruppe war nicht überzeugt. Das Dringendste war schließlich, die Insel zu verlassen, und nicht die künftige Verwendung unseres Apparats.

Plötzlich wurde Javier ganz bleich. Seine Hände zitterten. Er atmete schwer. Man hätte meinen können, er dachte daran, sich ins Wasser zu stürzen. Oder ein Geheimnis zu verraten. Und jedes Geheimnis ist Poesie.

„Wir sind vom Meer umzingelt. Huldigen wir ihm doch und bauen wir ein Passagierschiff. Ein Passagierschiff mit mehreren Reihen Bullaugen. Das ist tagsüber schöner. Und nachts noch schöner, wenn sie alle erleuchtet sind. Und außerdem…"

Er hielt uns in Atem. Alle wiederholten wir:

„Und außerdem?"

„Und außerdem ist eine Treppe in einem Flugzeug ein Symbol für das Abheben, eine Huldigung an die Kunst des Aufsteigens. Wer eine

Treppe in sich trägt, zeigt, dass er hoch hinaus will."

Wir waren nicht sicher, ob wir richtig verstanden hatten. Aber etwas sagte uns, dass er Recht hatte. Eine Treppe ist ein Projekt in sich, ein ehrgeiziges Ziel.

Einer nach dem andern nickten wir mit dem Kopf.

Nun brauchte Sir Alex nur noch über den Vorschlag abstimmen zu lassen.

„Wer ist für das doppelte Deck?"

Sieben Hände hoben sich. Zwar hatte Hillary ihre Meinung nicht geändert. Aber Javier war es gelungen, unsere Leiterin zu bezaubern.

*

* *

Am nächsten Tag war die Insel erfüllt von Hammerschlägen und unangenehmen Kreischtönen.

Und abends wartete Javier auf uns.

„Passt auf, wenn ihr zu Bett geht. Es kann gefährlich sein!"

„Was soll das heißen?"

„Wegen meiner Treppe… Ich musste… einiges… wegnehmen."

Schon hatten die Neugierigsten und Müdesten von uns, diejenigen, die es am eiligsten hatten, sich hinzulegen, das erste Stockwerk erreicht und den Schlafsaal betreten. Man hörte ihre Entsetzensschreie. Vom Fußboden war fast nichts mehr übrig, und die Betten waren zusammengeschoben worden. Ein schmaler Durchgang führte zu ihnen, ein auf zwei Balken gestützter Steg.

„Wer war das?"

„Wir werden runterfallen!"

„Besonders ich, ich bin nämlich Schlafwandler."

Javier kaute an seinen Fingernägeln.

„Verzeiht mir. Vielleicht bin ich ein bisschen zu weit gegangen. Aber für eine Treppe braucht man wahnsinnig viele Bretter."

XVIII

Nach der Menge der menschlichen Geräusche zu schließen, die den Schlafsaal erfüllten (Pfeifen, Grunzen, Schnarchen, Brummen), schliefen die meisten Stipendiaten.

Nur Victoria hielt in der Nacht die Augen geöffnet. Und auf dieser schwarzen Leinwand sah sie den Tag (noch einen Tag), der gerade zu Ende gegangen war, noch einmal an sich vorüberziehen. Wo sollte sie den Treibstoff für den Motor hernehmen? Sie mochte die Frage drehen und wenden, wie sie wollte, sie fand keine Antwort. Um sich zu beruhigen, hatte sie beschlossen, sich einem anderen Erfordernis unseres Flugzeugs zuzuwenden: den Rädern. Kleinigkeit!

*

* *

„Kommt alle her, Victoria backt uns Pfannkuchen!"

„Glaubst du, das ist der richtige Zeitpunkt, jetzt, wo die Insel auseinander bricht?"

„Was hast du denn in die Pfanne getan?"

„Komischer Teig… Man könnte meinen…"

Wirkliche Köchinnen geben ihre Geheimnisse nicht gerne preis. Victoria widerstand zwei Stunden lang und gab dann nach. Sie schlug den ernsten, überheblichen Ton einer Lehrerin an, um zu erklären, dass bestimmte Steinkristalle bei sehr hohen Temperaturen zu schmelzen beginnen. Beim Abkühlen werden die so gebildeten Kuchen dann härter als Eisen. Genauso entsteht auch Glas.

Wer wird mir glauben, wenn ich Folgendes behaupte? Auf vier Rädern aus gebranntem Sand sollte sich später das Walfisch-Flugzeug in Bewegung setzen.

*

* *

Endlich war Victoria eingeschlafen. Von einem hochmütigen Refrain gewiegt: „Offenbar muss ich auf dieser Insel alles alleine machen!"

Anscheinend sorgt Hochmut für einen tiefen Schlaf. Denn als sie die Augen wieder aufschlug, war der Schlafsaal leer. Die anderen waren an ihre Arbeit gegangen, ohne sie zu wecken.

Nur die Katzen sahen sie an, das gute Dutzend Katzen, die ihr schnurrend Gesellschaft geleistet hatten, während sie den Motor konstruierte.

Als sie sahen, dass ihre liebe große Freundin die Augen geöffnet hatte, kamen sie angesprungen und schmiegten sich an sie. Ihre kleinen rauen Zungen leckten alle Hautflächen ab, die aus den Laken herausragten, die Ohren, die Nasenspitze…

„Wie furchtbar!"

Victoria setzte sich jäh auf, so dass sie beinahe gekratzt worden wäre. Die Katzen, ihre Katzen, ausnahmslos alle Katzen hatten an diesem Morgen einen schlechten Atem. Genauer gesagt: Sie stanken aus dem Maul. Victoria bekämpfte ihren Ekel, holte tief Luft, packte einen der Kater am Rücken und zog ihn an sich.

„Mein Gott, man könnte meinen… Ja, kein Zweifel. Sie riechen… nach Rum!"

Sie sprang aus dem Bett und zog sich in Windeseile an.

„Und jetzt, meine Hübschen, müsst ihr mir zeigen, wo ihr den gefunden habt!"

Froh, dass ihre liebe große Freundin nicht länger verärgert war, wiesen die Katzen ihr den Weg. Freilich schienen sie etwas wacklig auf den Beinen zu sein. Sie, die anmutigsten aller Lebewesen, die genialen Gleichgewichtskünstler, sie wankten und schwankten. Vermutlich die Folgen des Rums.

Der seltsame Zug (die Katzen eine nach der anderen, Victoria hinterher) erreichte den Hafen und begab sich zu einem Bootsschuppen. Er war völlig leer. Zumindest leer für jemanden, der weder sehen noch riechen konnte. Denn auf dem Boden floss ein winziges Rinnsal. Victoria folgte seinem Lauf. Die Rückwand des Schuppens bestand aus schlecht verfugten Steinen. Und zwischen zweien sickerte Rum heraus. Ein Kinderspiel, die Steine zu entfernen. Zum Vorschein kamen – Fässer! Eins, zwei…, sechs Eichenfässer. Zweifellos der geheime und bestimmt sehr alte Vorrat von ein paar Matrosen auf der

Durchreise. Ein Korken schloss nicht richtig. Oder begann zu faulen. Ein Dankeschön dem kranken Korken. Ohne ihn keine besoffenen Katzen und kein Treibstoff für das Flugzeug!

„Wenn ich bedenke, dass ein Inventar der Insel aufgestellt worden ist!"

Und sie nahm die Katzen, alle Katzen in ihre Arme.

„Danke, meine Freunde! Wenn ihr wüsstet! Oh, wie sehr ich euch danke!"

Und da sich die Katzen über diesen plötzlichen Ausbruch an Liebe wunderten, erklärte Victoria ihn ihnen. Und uns, die wir herbeigeeilt waren und dem Ende der Szene beigewohnt hatten:

„Rum ist Alkohol, ihr Ignoranten! Und wenn man Alkohol anzündet, explodiert er. Und wie funktioniert ein Motor? Durch eine Folge von Explosionen! Kontrollierter Explosionen, natürlich, aber das könnt ihr ruhig mir überlassen! Es lebe der Rum! Und hoch sollen sie leben, die Matrosen, die ihn nicht ausgetrunken haben!"

Und um den Katzen zu danken, küsste sie jede Einzelne trotz ihres schauderhaften Atems auf das Näschen.

XIX

Liebe Leserin, lieber Leser, ich kenne euch.

Natürlich fragt ihr euch schon seit einiger Zeit: Wer erzählt denn diese Geschichte? Wenn er alle Einzelheiten kennt, ist er zwangsläufig auf der Insel gewesen. Zwangsläufig hat er an diesem verrückten Abenteuer teilgenommen.

Mrs. McLennan, die Leiterin? Manches ist ihr unbekannt geblieben. Zum Beispiel die Angst der Kinder, als sich der Fußboden des Schlafsaals zu neigen begann.

Sir Alex? Er hat zu sehr unter der Kritik der Presse gelitten, als er seine Mannschaft trainierte. Kaum vorstellbar, dass er seine Erinnerungen einem Journalisten anvertraut…

Also muss der Erzähler einer der sieben sein.

Ich heiße Thomas.

Und seit meiner Kindheit habe ich mich leidenschaftlich für Kleister interessiert.

Und seit meiner Kindheit bin ich allein.

Nicht, dass ich die Einsamkeit liebe. Aber nichts stinkt mehr als eine Kleisterfabrik.

In ihrer großen Weisheit hatte mir die Leiterin

geraten, meine Werkstatt im äußersten Süden der Insel, unter den stärksten Winden einzurichten. Dort verbrachte ich meine Tage nach einem unveränderlichen Zeitplan. Morgens Fischfang: Krabben, Meerspinnen, Felsenfische. Nachmittags: Küche. Ich warf meinen Fang in einen riesigen Kessel und rührte und rührte, stundenlang. Im Körper der Meerestiere gibt es bestimmte Moleküle, die magische Kräfte besitzen: sie binden. Als hätten diese Moleküle liebevolle kleine Arme. Legt sie auf irgendetwas. Bringt etwas anderes in ihre Nähe. Und ihr könnt beides nicht mehr voneinander trennen.

Während dieser Zeit kam man am besten nicht in meine Nähe, wollte man sich nicht übergeben (sogar Victoria wurde einmal ohnmächtig), so heftig war der Gestank. Und ich durfte erst dann ins Haupthaus zurückkehren, wenn ich lange und gründlich gebadet hatte. Kein Mädchen versäumte dieses Schauspiel: ein großer Junge, der aus dem Meer steigt und vor Kälte zitternd zu dem Haufen sauberer Kleider rennt, die auf der Düne auf ihn warten.

Armer Thomas!

In den ersten Tagen habe ich noch versucht, mich zu verteidigen. Ich stellte mich vor den einen oder anderen meiner Kameraden, hielt ihm gebieterisch meinen erhobenen Arm unter die Nase oder öffnete mein Hemd.

„Los, mach schon, schnuppere! Stinke ich oder nicht? Sag es! Ich habe eine halbe Stunde im Wasser verbracht. Was riechst du außer Sauberkeit?"

Es half nichts: Man ging mir aus dem Weg. Über-

all. Im Speisesaal ließ man mich nicht am gemeinsamen Tisch sitzen. Wenn ich mit Gewalt einen Platz erzwang, standen die anderen einfach auf. Und im Schlafsaal hatten sie schon dreimal mitten in der Nacht mein Bett in die hinterste Ecke gerückt. Ich gestehe, dass ich oft wütend war. Und nachts weinte.

Wie grausam ist doch das Schicksal derer, die in Kleister vernarrt sind: Ihr einziger Ehrgeiz besteht darin, zwischen den Teilen der Welt immer festere Verbindungen zu schaffen, und als Dank verurteilt man sie zur Einsamkeit.

„Ihr wollt nichts von mir wissen? Sehr gut. Ab heute werde ich nichts mehr miteinander verbinden."

Alle hatten über diese Drohung schallend gelacht.

Seit unser Projekt Gestalt angenommen hatte, lachte niemand mehr.

Wie lässt sich ein Rumpf mit Tragflächen zusammenfügen, und zwar fest zusammenfügen, insbesondere wenn es sich um ein Walfischgerippe und zwei alte Windmühlenflügel handelt?

Mich, vor dem alle immer die Flucht ergriffen hatten, verschlangen sie nun mit den Augen, als wäre ich der Messias.

„Wir vertrauen dir, Thomas."

„Gelehrt, wie du bist, wirst du es bestimmt herausfinden!"

„Dein Fachgebiet ist das nützlichste, Thomas. Unter uns haben wir das schon immer gesagt."

„Lieber, liebster Thomas, möchtest du diese Karamellbonbons? Ich habe sie für dich aufgehoben."

„Ich weiß nicht, wie es euch Jungen geht, aber mir ist Thomas schon immer der Liebste gewesen."

„Sag, Thomas, magst du, dass ich im Schlafsaal mein Bett neben deins schiebe?"

„Oh, wir verstehen, worauf du aus bist, Mädel!"

„Ihr seid Schweine! Ich will doch nur Thomas' Träumen nahe sein."

Und so weiter…

Ein von seinem Hofstaat umschmeichelter und von einer unausgesetzten Flut süßer Worte gewiegter König: Genau das war ich jetzt, der einst Ungeliebte. Und das hatte ich dem Sturm zu verdanken. Ich machte mich an die Arbeit.

Wenn eine Aufgabe einen völlig in Anspruch nimmt, existiert weder Tag noch Nacht. Man merkt nicht, wie die

Stunden vergehen. Man fühlt keine Müdigkeit. Man isst irgendwas. Man lebt in einer anderen Welt. Man sieht nur einen Horizont, das zu erreichende Ziel. Die Herausforderung war riesig. Auf diesen Moment hatte ich schon immer gewartet. Ich musste ihm gewachsen sein.

Eines Abends hob ich endlich den Kopf. Mir schien, als hätte ich die Lösung gefunden, eine Mischung, der ich den Namen Noah gab, den Namen jenes Mannes, der in seiner Arche die unterschiedlichsten Tiere versammelt hatte. Aber kein noch so starker Kleister klebt alles. Einige Stellen, die dem stärksten Druck ausgesetzt sind, müssten durch Nieten ergänzt werden.

„Gut. Jetzt werde ich mit den Tests beginnen."

„Können wir dir helfen, Thomas?"

„Ich brauche ein großes Stück Knochen und ein ebenso großes Stück Holz."

„Sofort, Thomas!"

Étienne und Javier machten sich auf die Suche und kamen gleich darauf mit den verlangten Gegenständen zurück, die ich mit meiner Mixtur bestrich.

Die Mädchen haben einen heißen Atem: Sie bliesen darauf, damit es schneller trocknete.

„So. Jetzt können wir anfangen. Verteilt euch in zwei Gruppen, drei auf jeder Seite, und zieht, jeder auf seiner Seite, los, stärker, viel stärker. Was ist los? Seid ihr denn völlig schlapp geworden? Zieht, so zieht doch, ihr schwindsüchtigen Athleten, ihr Operettenkraftmeier!"

Ich vergnügte mich, ich rächte mich, ich

beschimpfte diejenigen, die mich so oft gepiesackt hatten.

„Hau ruck!"

Und ich verkündete den sechs Keuchenden die frohe Botschaft:

„Für mich ist die Sache erledigt! Der Walfisch und die Windmühlenflügel werden für immer und ewig miteinander verbunden sein. Wir können uns etwas anderem zuwenden. Was macht das restliche Flugzeug?"

*

* *

Vielleicht habt ihr nun verstanden, warum mich die anderen beauftragt haben, unsere Geschichte zu erzählen.

Was ist ein Erfinder von Kleister?
Einer, der Verbindungen herstellt.
Einer, der Dinge vereint oder wiedervereint.

Und was ist ein Erzähler?

Einer, der Wörter und Sätze vereint oder wiedervereint.

Damit niemand die Geschichte dieser Insel vergisst, auf der sich wie auf einem Schiff sieben plus zwei Personen befanden, die nichts dazu vorausbestimmt hatte, einander je zu begegnen.

Und Mrs. McLennan, unsere Leiterin?

Welche Rolle spielte sie in jenen fieberhaften Tagen?

Darauf kann ich nur mit zwei Worten antworten, die widersprüchlich erscheinen: eine entscheidende Rolle, eine nicht nachzuweisende Rolle.

Niemand wird sagen: Sie hat diesen oder jenen Teil des Flugzeugs gebaut. Aber hätten wir ohne sie und ihre Gegenwart, ohne ihre Energie, die uns in den vielen schwierigen Augenblicken neue Kraft schöpfen ließ, hätten wir ohne das alles Erfolg haben können? Wohl kaum.

Ihre Niedergeschlagenheit nach dem Sturm hatte nicht lange gedauert. Schnell hatte sie sich wieder erholt, von neuem ihre bunten Kleider angezogen und wieder angefangen, sich zu regen.

Sie hatte sich dafür entschieden, uns zu begleiten. Uns wirklich zu begleiten, so wie Musiker begleiten.

Eines Morgens sahen wir, wie sie ein Klavier auf den Hof zog. Einen Schemel holte. Sich setzte und dabei ihre drei Röcke (einen violetten, einen gelben und einen rosafarbenen) ausbreitete, ihre Finger auf die Tasten legte und zu spielen begann. Und sie hat nicht mehr aufgehört. Wobei sie die Tonarten und Rhythmen unseren Stimmungen anpasste: mit Wiegenliedern unsere Anfälle von Angst linderte („das schaffen wir nie", „die Flügel werden nicht halten", „die Startbahn wird zu kurz sein"…); mit Militärmärschen unseren Eifer neu entfachte; sich auch über uns lustig machte, wenn es nötig war, wenn uns der Kamm schwoll, wenn wir an nichts mehr zweifelten und uns plötzlich für die Herren des Himmels hielten. Diese Art von Selbstgefälligkeit ist sehr gefährlich. Und deshalb verspottete sie uns mit schrillen kurzen Tönen, wie eine Möwe. Von ihr selbst erfundene Balladen verwob sie mit Volksweisen („Wenn ich ein Vöglein wär'…", „En el balcón de palacio", „Aux marches du palais", „Men of Harlech").

Jetzt, da diese Tage auf der Insel in weite Ferne gerückt sind und ich ihnen natürlich nachtrauere, jetzt, da das schöne, ach so schöne Abenteuer zu Ende ist, versuche ich zu verstehen, durch welches Wunder wir Erfolg hatten. Und ich stelle die Frage noch einmal: Welche Rolle hat unsere Leiterin genau gespielt?

Nachdem ich viel darüber nachgedacht habe, glaube ich, eine Antwort gefunden zu haben. **Dank ihrer Musik, dank ihren Liedern hat sie die Luft gezähmt, die wir atmeten,** die Luft, die die Insel umhüllte. Und worauf ruht ein Flugzeug, wenn nicht auf Luft? Hätte es ohne eine Luft, die dank Mrs. McLennan unsere Freundin geworden war, überhaupt abheben können? Die Schlussfolgerung überlasse ich den Fachleuten.

*

* *

Unsere Leiterin trug in großartiger Weise noch eine andere Verantwortung.

Bisher hat niemand davon gesprochen, aber es ist meine Pflicht, alles zu erzählen.

Mrs. McLennan empfing, so gut es ging, unsere Besucher, die unsere Partner werden sollten.

Ich ahne, lieber Leser, liebe Leserin, dass ihr sofort ausruft: Von welchen Besuchern spricht er? Und von welchen Partnern? Wir dachten, die Insel sei leer gewesen! Was ist das für ein Widerspruch?

Geduld, lieber Leser und liebe Leserin, immer mit der Ruhe!

Jede Geschichte hat ihren Rhythmus, jeder Weg seine Abzweigungen, die man beachten muss, will man nicht das Wesentliche verfehlen, wichtige Umstände sowie Personen, die nebensächlich erscheinen und doch entscheidend sind.

Bei uns waren es die Vögel.

Wie wurden sie über unsere Baustelle unterrichtet?

Durch eine besondere Vibration in der Atmosphäre?

Durch einen Ruf ihrer geflügelten Artgenossen, die uns bei ihrem Gleitflug von hoch oben beobachteten? Durch die Musik unserer Leiterin?

Es war ein Rätsel.

Wie dem auch sei, sobald der Wal auf den Strand gezogen worden war und unsere Arbeiten begonnen hatten, kamen sie in Scharen.

Aus der ganzen Welt.

Außer unseren üblichen Gefährten, den Meeresvögeln (Möwen, Papageitauchern, Basstölpeln), kamen Kormorane aus China, lang und dünn wie schwarze Striche, Kraniche aus Japan, fünf Falken aus der arabischen Wüste, vornehm wie edle Herren. Es kam sogar ein Albatros-Pärchen, eine Dame und ein Herr, und blieb zwei Wochen lang bei uns. Wisst ihr, dass diese Riesenvögel (drei Meter Flügelspannweite) ihr Leben lang einander treu bleiben und jedes Jahr Tausende von Kilometern zurücklegen, um sich zu ernähren?

Sie kamen in Scharen herbeigeflogen und begeisterten sich für unsere Arbeit. Sie gaben uns nicht nur gute Ratschläge, sondern stellten uns manchmal auch für einige heikle Bohr- und Schraubvorgänge ihre ungemein schmalen und spitzen Schnäbel zur Verfügung.

Wir waren klug genug, ihre Anregungen zu beherzigen und ihre Teilnahme zu akzeptieren:

Wer weiß besser als ein Vogel, was Fliegen ist?

Wir müssen sie wirklich würdigen: Vögel, wir danken euch! Eure Mitwirkung war wertvoll. Und beschränkte sich nicht auf die Konstruktion unseres Flugzeugs, wie die Fortsetzung unserer Geschichte zeigen wird.

XXI

Ich werde euch nicht länger von unserer wochenlangen gemeinsamen Arbeit erzählen.

Selbst wenn ich es wollte, würde es mir wahrscheinlich nicht gelingen.

Die Arbeit gerät in Vergessenheit.

Mit einem Mal verschwinden alle Mühen, alle Anstrengungen, alle Stunden der Entbehrung, als würden sie vom Nebel verschluckt.

Denn das Flugzeug stand da, braun und rot. Erinnert euch, seine Haut hatten wir aus Segeln sehr alter Boote hergestellt.

Ein großes Tier auf der grünen Heide.

Ein Riesentier, das im Augenblick noch schlief.

Von dem aber jeder Zuschauer ahnte, dass es in Bälde die Augen aufschlagen würde.

Und wir sieben, und ich glaube auch Sir Alex und Mrs. McLennan, konnten es kaum glauben.

War dies das Flugzeug, unser Flugzeug?

Nachdem wir es lange betrachtet hatten, sahen wir einander staunend an.

Das sollen *wir*, wirklich und wahrhaftig *wir*, gebaut haben?

Und wieder wandten wir uns ihm zu, unserem Werk, und streichelten seine Flanken, seine Räder, wir stellten uns einer auf die Schulter des anderen, nur um mit den Fingerspitzen den Rand der Flügel zu berühren, kurz, wir konnten uns nicht mehr von ihm trennen.

Vielleicht haltet ihr unsere Begeisterung für lächerlich, aber ihr müsst uns verstehen: da jeder von uns von *seinem Teil*, dem Stück, das er gebaut hatte, vereinnahmt, ja besessen gewesen war, hatten wir *dem Ganzen* nie die geringste Aufmerksamkeit geschenkt.

Und nun zeigte sich uns mit einemmal *das Ganze*.

Unser Flugzeug.
Unser Stolz.
Auch unsere Freiheit.

Wenn ihr euch eine Vorstellung von der Erregung machen wollt, die an jenem Tag auf der Insel herrschte, dann fragt die Vögel, unsere Freunde und Partner, die uns so sehr geholfen haben. Dank ihrer Flügel können sie, im Gegensatz zu uns, überall herumstöbern. Stundenlang sind sie um unser Werkstück herum geflattert, darüber hinweg und darunter hindurch. Man konnte sie gar nicht mehr aufhalten.

Und dann haben sie sich alle zusammen hingesetzt.

Und dann...

Dann...

Haben alle gemeinsam mit dem Kopf genickt.

Könnt ihr euch solch ein Kopfnicken von Kranichen, Falken, Albatrossen, Papageitauchern, Adlern, Kormoranen und so weiter vorstellen?

Ja, könnt ihr euch dieses große Kopfnicken der Vögel aus aller Welt vorstellen?

Nur Étienne, der für alle Bewegungen und somit auch für den Abflug verantwortlich war, teilte diese Begeisterung nicht. Er raufte sich die Haare: Um eine Startbahn zu bauen, hätte man den feuchten Boden der Insel (in den man mitunter bis zu den Knien einsank) befestigen müssen; und so holprig wie er war (er glich grünem Wellblech), hätte man ihn planieren müssen. Wo sollte man die Bulldozer und den Zement und vor allem die dafür nötige Zeit hernehmen?

Eine Möwe gab die Antwort. Ihre weiße Farbe. Der Schnee. Der Flug der Möwe. Der Skisprung.

Ohne eine Sekunde zu verlieren, rannte Étienne zu Javier.

„Könntest du mir eine Sprungschanze bauen?"

„Ich könnte, aber ich möchte nicht."

„Wieso nicht? Was ist das für eine neue Marotte

„Sprungschanzen sind falsche Treppen."

„Wie bitte?"

„Bei einer Sprungschanze meint man, dass man aufsteigt, während man doch immer nach unten fällt. Die Erbauer von Sprungschanzen sind Betrüger."

„Vielleicht. Aber ohne Sprungschanze werden wir unser Leben lang auf der Insel bleiben, ich meine unser kurzes Leben lang."

„Ich werde darüber nachdenken."

Hans, der Wolkensammler, der gerade vorbeikam, hatte alles gehört. Er trat näher.

„Ich weiß, dass mir nach meinem Fehlschlag keiner mehr glaubt."

„Sprich trotzdem."

„Die allerbeste Startbahn ist der Wind."

„Wie bitte?"

„Um abzuheben, steigt ein Flugzeug auf den Wind."

„Hast du wirklich gesagt: Es ,steigt' auf ihn?"

„Genau, es stützt sich auf die Kraft des Windes, natürlich des Gegenwindes."

„Natürlich! Sag mal, hast du immer noch Kopfschmerzen? Du solltest nach der Heimkehr einen Arzt aufsuchen."

„Je stärker der Wind ist, desto schneller hebt das Flugzeug ab. Und wir haben Glück."

„Endlich eine gute Nachricht!"

„Deine Startbahn liegt in der Hauptwindrichtung. Ich habe die Statistiken zu Rate gezogen: Die Chance, dass der Wind uns in dieser Jahreszeit durchschnittlich stark oder sehr stark um die Nase bläst, beträgt sechzig Prozent."

*

* *

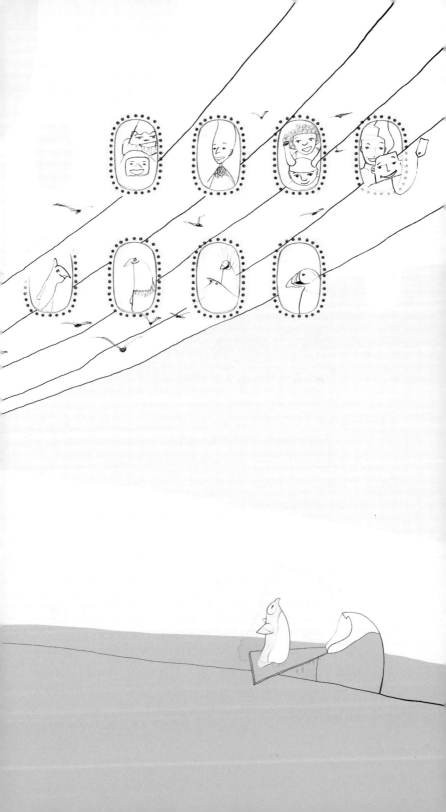

Am Vorabend des großen Tages konnte man hoch am Himmel lange weiße Streifen sehen. Hans begrüßte sie mit fröhlichen Augen, als wären es Freunde.

„Sag mal, du scheinst diese Wolken ja gut zu kennen."

„Sie heißen *cirrus*. Wir konnten uns gar nichts Besseres erträumen. Sie verkünden starken Wind."

„Weißt du diesmal bestimmt, dass du dich nicht irrst?"

Am nächsten Tag wehte die vorhergesagte Brise, fast ein Sturm, aber diesmal war es ein brüderlicher. Man hätte meinen können, sie sprächen miteinander, der Wind und das Flugzeug.

„Guten Tag, Wind!"
„Guten Tag, Flugzeug!"

„Darf ich Sie etwas fragen?"

„Nur zu."

„Ich beneide Sie, überall zu sein, wo es Ihnen beliebt, und alles von oben anzuschauen..."

„Stimmt, es ist amüsant. Aber du wolltest mich doch etwas fragen, nicht?"

„Lieber Wind, könnten Sie mir helfen, die Insel zu verlassen?"

„Kein Problem, Flugzeug. Rolle los, und ich nehme dich auf den Rücken."

Und so geschah es. Victorias Motor brummte. Das Flugzeug vibrierte, rollte, holperte, hüpfte. Und plötzlich wurde es leichter und hob ab. Langsam, sehr langsam stieg es zum Himmel auf. Wie versprochen hatte der Wind es auf seinen Rücken genommen.

*

* *

Um Hans zu danken, küsste Victoria ihn auf den Mund.

Der Walfisch war voll.

Natürlich saßen die sieben darin, vollzählig und strahlend lächelnd, mit Étienne am Steuer. Sein Gesicht war zu klein für die Freude, die er empfand. Sie schäumte über und umgab ihn wie mit einem Lichthof. Was kann sich ein Umzugsnarr Schöneres erträumen, als ein Luftschiff zu steuern?

Auch Sir Alex war mit von der Partie. Seit dem Unwetter war er jeden Tag jünger geworden. Mit anzusehen wie er sich freute, wieder eine Mannschaft zum Trainieren gefunden zu haben, war das reinste Vergnügen. Zumal er als schamhafter Engländer diese Freude zu verbergen suchte. Aber vergebens. Sie brach überall auf seinem Gesicht hervor, im Glanz seiner Augen, im Beben seiner Lippen, das stark einem Lächeln glich.

Er hatte ein kleines Notizbuch mitgenommen. Wir mussten uns sehr anstrengen, um seinen Inhalt zu erfahren. Er gab ihn nur widerstrebend preis. Liedertexte. Häufig sehr ruppige. Lieder, wie sie Sportler auf Reisen singen…

Mrs. McLennan dagegen hatte es abgelehnt, mitzukommen. All unsere Bemühungen, unsere Bitten, unsere Ermahnungen waren vergebens.

in Kommandant verlässt niemals sein Schiff."

„Auch nicht, wenn es sinkt?"

„Es sinkt nicht, Thomas. Du hast es doch selber

feststellen können: Die Risse der Insel haben sich fast wieder geschlossen. Als hätte unser Projekt den Boden konsolidiert."

„Und die Stürme?"

„An der Meeresküste bläst der Wind. Das ist die Natur. Und die Natur ist meine Freundin."

„Erwarten Sie neue Stipendiaten?"

„Wie soll ich das wissen? Euch jedenfalls habe ich geliebt."

Einer nach dem andern haben wir sie umarmt, mit Tränen in den Augen. Wir hatten sie schwören lassen, den Himmel nicht mehr zu verspotten und auf ihre allzu aggressiven Kleider zu verzichten. Sie hat es versprochen, um uns eine Freude zu machen. Aber sie hat nicht Wort gehalten. Die Katze lässt das Mausen nicht. Unser letzter Eindruck von Mrs. McLennan ist eine Farbkugel: kanariengelb, apfelgrün, kastanienbraun. Sie sitzt an einem Klavier. Sie winkt mit einer Hand, der linken. Denn die rechte huscht mit hoher Geschwindigkeit über die Tasten. Man kann sich vorstellen, dass die Musik schwungvoll und fröhlich ist.

Nachdem die Aufregung des Abflugs vorüber war und wir ein letztes Mal die immer kleiner werdende Insel und jenen winzigen Punkt, unsere Pianistin, Sängerin und Leiterin gegrüßt hatten, schliefen wir alle ein, muss ich gestehen. Die Arbeit der vergangenen Wochen war sehr anstrengend gewesen. Wir mussten neue Kräfte sammeln!

*

* *

Woher mochte plötzlich dieses Glucksen kommen, dieses Piepen, Geschnatter und Flügelrauschen? Gehörte dieses Vogelhaus zu einem Traum? Wie alle Besessenen träumten die sieben viel.

Einer nach dem andern wachte auf. Und sie erinnerten sich, dass die Vögel hatten mitkommen wollen – mit Ausnahme eines Pinguins, der auf seine Badefreuden nicht verzichten wollte (aber ist ein Pinguin ein Vogel?). Man hatte sie auf dem unteren Deck des Flugzeugs untergebracht. Zur großen

Zufriedenheit von Javier. Er konnte nicht umhin, Hillary darauf hinzuweisen:

„Na? Siehst du, wir brauchten tatsächlich zwei Etagen!"

Gewöhnlich unterhalten die Vögel nur entfernte Beziehungen zu Flugzeugen. Sie misstrauen ihnen. Aber dieses Flugzeug hier war ihr Freund geworden. Für nichts auf der Welt hätten sie die Reise versäumen wollen. Die Vögel hatten Ferien. Zum ersten Mal konnten sie fliegen, ohne mit den Flügeln schlagen zu müssen!

Könnt ihr euch hinter jedem Bullauge den Kopf eines Vogels vorstellen? Statt der üblichen menschlichen Gesichter den Kopf eines Kranichs, eines Kormorans, eines Albatros…

Ein Fest.

Ein Fest war vorbereitet worden.

Ein feierliches Fest mit Oberkellnern, weiß gedeckten Tischen, Champagnerkübeln, aufgereihten Gläsern, Kilometern von kleinen Häppchen, piekfein gekleideten Gästen, Herren mit Krawatte und Frauen mit Hüten. Und ein Podium mit zwei Mikrophonen für die Reden.

Auf dem Rasen war ein riesiges Transparent aufgestellt worden: „Hoch leben unsere Sieger!"

Im Flugzeug schrieen alle durcheinander.

„Da ist Mama!"

„Die beiden rechts, mit den Taschentüchern, das sind meine Eltern!"

„Habt ihr die vielen Fotografen gesehen?"

„Und all die Kameras dort!"

„Na, so was…"

„Und das heißt…"

„Dass wir den großen Preis gewonnen haben!"

Alle sieben standen wir auf und fielen uns in die Arme. Auf die Gefahr hin, das Flugzeug ins Trudeln zu bringen.

„Nun, Étienne, worauf wartetest du, wie wäre es mit landen?"

„Denkt gut nach."

„Was willst du damit sagen?"

„Unser Freund hat Recht", sagte Sir Alex. „Denkt nach. Es ist ein sehr wichtiger Augenblick in eurem Leben."

Unser fliegender Wal drehte immer weitere Runden. Am Boden begannen die Leute nervös zu werden. Man sah die hohe Gestalt des Vorsitzenden. Er hatte sich mitten auf die Landebahn gestellt und deutete mit immer aufgeregteren Gesten auf die Piste.

Étienne fuhr fort, mit uns zu sprechen. Natürlich ohne sich umzudrehen, da er weiterhin am Steuer saß.

„Landen, das heißt das Projekt beenden."

„Er hat Recht", sagte Morwenna. „Kaum sind wir angekommen, werden wir unser früheres Leben wieder aufnehmen müssen."

„Die Schule, die Routine."

„Wir werden getrennt."

„Immerhin könnten wir uns schreiben!"

„Du weißt genau, dass das nicht dasselbe ist!"

„Nach und nach vergessen wir einander, verlieren uns aus den Augen."

„Ich will aber mit euch weitermachen! Auch wenn Victoria einen schlechten Charakter hat. Und obwohl Étienne schnarcht."

„Ich auch! Obwohl Javier sich öfter waschen könnte! Und Hillary zu laut mit den Zähnen knirscht."

„Wir müssen uns ein neues Projekt ausdenken."

„Ich habe schon eine neue Idee für den Motor."

„Victoria, bitte, beschwöre kein Unglück!"

„Ich verspreche euch, mich zu bessern."

„Wenn das so ist…"

„Außerdem brauchen wir uns nicht alles gefallen zu lassen."

„Du hast völlig Recht. Wir werden ihnen zeigen, dass niemand, nicht mal ein Präsident, jemanden in nur einen einzigen Traum einsperren kann."

„Was schlagt ihr vor?"

Ich muss eines gestehen: Wir fragten unsere Freunde und Partner, die Vögel, nicht nach ihrer Meinung. Aber sie schienen entzückt zu sein, die Reise fortzusetzen. Und Sir Alex, der immer jünger und gesprächiger wurde, erzählte jedem, der es hören wollte, von seiner schönsten Saison in den Achtzigerjahren, als seine Mannschaft, nachdem sie den Europapokal gewonnen hatte, beschloss, nach Lateinamerika zu fliegen, um Brasilien herauszufordern.

Und so drehte unser Flugzeug eine letzte Runde über den Gästen. Und unter deren verdutzten Blicken nahm es Kurs gen Süden, bevor der Horizont es verschluckte.

An welcher Stelle des Planeten landete es schließlich?

Das werdet ihr nicht erfahren.

Nicht gleich.

Denn das ist eine andere Geschichte…

VON ERIK ORSENNA EBENFALLS ERSCHIENEN

AUF DEUTSCH
Inselsommer,
Roman, Carl Hanser Verlag, 2000.
André Le Nôtre: Portrait eines glücklichen Menschen,
Carl Hanser Verlag, 2002.
Die Grammatik ist ein sanftes Lied,
Carl Hanser Verlag, 2004.

AUF FRANZÖSISCH
Loyola's Blues,
Roman, Éditions du Seuil, 1974; coll. «Points».
La vie comme à Lausanne,
Roman, Éditions du Seuil, 1977;
coll. «Points», Prix Roger-Nimier.
Une comédie française,
Roman, Éditions du Seuil, 1980; coll. «Points».
Villes d'eau,
in Zusammenarbeit mit Jean-Marc Terrasse, Ramsay, 1981.
L'Exposition coloniale,
Roman, Éditions du Seuil, 1988;
coll. «Points», Prix Goncourt.
Besoin d'Afrique,
in Zusammenarbeit mit Éric Fottorino und Christophe Guillemin,
Fayard, 1992; LGF.
Grand amour,
Roman, Éditions du Seuil, 1993; coll. «Points».
Rochefort et la Corderie royale,
Photographien von Eddie Kuligowski, Paris, CNMHS, 1995.
Mésaventures du Paradis,
Photographien von Bernard Matussière, Éditions du Seuil, 1996.
Histoire du monde en neuf guitares,
Begleitworte von Thierry Arnoult, Roman, Fayard, 1996.

Satz: Dominique Guillaumin, Paris
Phototypie: Point 4, Paris

Druck: Mame, Tours, im Mai 2005

Printed in France

Auflage: Mai 2005
Drucknummer: 05032257